Art Nouveau

新艺术

[美]阿拉斯泰尔·邓肯 著

周孟圆 译

浙江人民美术出版社 | **艺术世界**

图书在版编目(CIP)数据

新艺术 / (美) 阿拉斯泰尔·邓肯著 ; 周孟圆译.
-- 杭州 : 浙江人民美术出版社, 2019.1
(艺术世界)
ISBN 978-7-5340-6782-2

Ⅰ. ①新… Ⅱ. ①阿… ②周… Ⅲ. ①艺术－设计－工艺美术史－世界 Ⅳ. ①J509.1

中国版本图书馆CIP数据核字(2018)第091445号

On the cover: William Bradley, cover for The Chap Book, 1894(detail)

合同登记号 图字: 11－2016－282号

新艺术

著　　者 [美]阿拉斯泰尔·邓肯
译　　者 周孟圆

策划编辑 李　芳
责任编辑 郭哲渊
责任校对 黄　静
责任印制 陈柏荣
出版发行 浙江人民美术出版社
地　　址 杭州市体育场路347号（邮编：310006）
网　　址 http://mss.zjcb.com
经　　销 全国各地新华书店
制　　版 浙江新华图文制作有限公司
印　　刷 浙江海虹彩色印务有限公司
版　　次 2019年1月第1版·第1次印刷
开　　本 889mm × 1270mm　1/32
印　　张 8.5
字　　数 230千字
书　　号 ISBN 978-7-5340-6782-2
定　　价 72.00元

目 录

第一章 | 序言

让我们开宗明义地来讲：新艺术[Art Nouveau]是一场运动，而不是一种风格。这场运动发生于19世纪下半叶，抱着打破实用艺术和美术中既定规则的统一目标，以全然不同的方式席卷了不同的国家。如果不理解这个事实，我们就无法把当时千变万化的现代主义风格统一于同一个标签之下。比如说查尔斯·麦金托什[Charle Rennie Mackintosh]所创造的简约直线，怎么能和维克多·霍塔[Victor Horta]以及赫克托·吉马德[Hector Guimard]作品中那些温室植物般的缠绕曲线放在一起，被看作同一个体系、追求一致的目标？约瑟夫·霍夫曼[Josef Hoffmann]和科罗曼·莫塞尔[Koloman Moser]所提倡的棋盘式几何风格，如何与艾米尔·盖勒[Emile Gallé]、路易·梅杰列[Louis Majorelle]花团锦簇的设计样式放置在一起相提并论？而以上这些人的创作，又怎么才能与独立派加泰罗尼亚现代大师安东尼·高迪[Antoni Gaudí]的设计作品统一协调在一起，并最终看起来既合情合理又不显突兀呢？

任何一个单一的建筑师、艺术家、设计师，或任何一个单一的流派，都无法全面代表“新艺术”；他们中的每一位都在与复古主义斗争的过程中探寻着属于自己的道路。在塞纳河与莱茵河畔，答案是蓬勃而烂漫的，在格拉斯哥与维也纳，回应却是严肃而内敛的。不仅如此，这场运动的倡导者们所投入的持续热情、时间精力、所享受的名誉成就也各不相同。如同法国艺术史学家毛里斯·莱姆斯[Maurice Rheims]所打的那个精彩比方，新艺术运动就像一枚火箭：有些人在发射不久后便脱离了，有些人等到轨迹运行的至高点才脱离，还有一些人守候到了最后一刻，直至冲上云霄，再解体散作万千碎片。所有参与者都对之前长达一个世纪平庸无奇、东拼西凑的旧风气感到厌恶，但每个人都以其自由意志发出了反对之声。这一点是显而易见的，早在1902年，当评论家汉姆林[A. D. F. Hamlin] 对美国正在萌芽阶段的新艺术运动点评时便指出，除了“一种反对传统和陈腐的根本性特质”以外，这些追随者们事实上并无甚相同之处。

对维多利亚时代复古主义狂潮的反抗，在19世纪末之前的很长一段时间中就有所表现。早在1836年，阿尔弗莱·德·缪塞[Alfred de Musset]就在《一个世纪儿的忏悔》[*Confession d'un Enfant du Siècle*]中写道：“有钱人的房间就是陈列珍品奇玩的百宝阁：古典希腊罗马的，哥特式的，文艺复兴风格的，路易十三时代的，全都混杂在一起……各个世纪的东西应有尽有，惟独没有我们这个世纪的，这是其他时代所从未见过的困境……我们只是在一堆破烂废墟中苟活，仿佛世界末日即将来临。”

到了1851年的水晶宫博览会，一切都显示着这种状况只是更为退步了。这是因为工业革命和机器的诞生，使得大批量粗制滥造的即抛型产品被投入生产，仅仅为了迎合那些上层阶级和日益壮大的中产阶级心血来潮的装饰念头。

在19世纪，室内布置普遍光线昏暗，空气流通不畅，屋子里的陈设看起来古板又沉闷。房间中每一寸可利用的平面或空间都被用来塞满家具、古董摆件、墙壁挂饰和织物，成堆散发着霉味并且互不协调的摆设，成了维多利亚时期住房的特点。这种状况至少持续到了1900年，因为在1899年发行的《装饰艺术》[*L'Art Décoratif*]中，一位评论家讽刺道：“环顾房间四周，我们看见了什么？可以灼伤我们眼睛的壁纸，前面摆着灼伤我们眼睛的繁复家具，隔断处挂着灼伤我们眼睛的俗气艳丽的窗帘布，而每一个角落和缝隙里，都挂满了灼伤我们眼睛的菠菜纹饰开光瓷盘。就让我们的眼睛英勇地向这一切投降吧。”

正是因为这种维多利亚时代的堆砌折中主义泛滥成灾——包括它们背后所反映的虚空恐惧症[horror vacui]以及早已过时了的品位，所以从19世纪90年代开始，人们敞开怀抱接受了现代室内设计的理念，诞生其间的新艺术运动更是以其整洁成套的家居设计理念蓬勃发展起来。亨利·凡·德·威尔德[Henry van de Velde]在他的《现代美学形式》[*Formule d'une Esthétique Moderne*]中曾解释过这种迅速的突破：“真正的原因根植于人们的厌恶，这种厌恶针对的是经年累月的懦弱与回避，回避去寻找一种正确的形式，一种简单、真实并且纯粹的形式。”

新艺术运动提供的方案，通过在百货商场和年度沙龙中展出的成套样品房[ensembles]而为公众所知，他们强调房间中的所有元素都应成套设计，从房间整体色调到最微末之物的细节，甚至包括锁眼盖和家具的微妙折角都应该形成搭配。所有的陈设都必须组成套房[en suite]，这与当时主流的奇珍型[recherché]室内风格显然大相径庭。今天，几乎当年所有的新艺术室内设计都已冰消瓦解，壁纸和软装织物或褪色、或剥落，曾经成套的家具在家庭或拍卖行被强行拆散。就连残存的手工印刷品和彩绘玻璃，也已经无法全面展现新艺术运动设计师们曾经追寻的那种和谐亲密的环境氛围。不过在这方面，现存的设计已足够证明，至少这场新运动对于当时设计界的现状[status quo]产生了革命性的改善。

新艺术运动中最大的功臣当属威廉·莫里斯[William Morris]（图1）。莫里斯比任何一个个人或团体都高瞻远瞩，率先针对维多利亚中期的美学价值观及其对社会的整体影响方式进行了尖锐的抨击。与前辈拉斯金一样，莫里斯的实践并非总是和他的说教保持一致，可产生巨大影响力的恰恰是他的说教。他倡导的内容，最终导致整个英国和欧洲大陆在1880年到1890年间掀起了一股改头换面的愿景思潮。新艺术运动

1

发展到巅峰时期的绚烂盛景，已远远超越了莫里斯最初在家装设计领域的改革目标，但他的精神和教诲却始终作用并引领着这场运动。

莫里斯的不满主要针对工业大革命。他认为人类在工业革命中丢失了灵魂，廉价的批量工业产物腐化成了一片危险的沼泽，逐渐将人类淹没吞噬，在沉沦中人类感官麻木，最终生命将变得一文不值。只要粗略扫一眼当时的国际博览会手册，包括1851年、1855年、1862年、1867年和1878年的所有版本，都揭示了莫里斯所担忧的基本问题：一页接一页粗制滥造的产品拙劣地模仿着古董或舶来物。

1. 威廉·莫里斯，《鸟》，羊毛挂毯，1879—1880年。

莫里斯谴责对机器作任何形式的运用，并且批评因此衍生的劳动力过度细分。人类需要有益于身心健康的自然环境。因此对于莫里斯来说，机器天生是邪恶的，它摧毁了美并且贬损了人类文明。相较于古希腊和文艺复兴，莫里斯更青睐中世纪的生活方式，他将中世纪精神视作拯救现状的理想典范。莫里斯无疑利用自己的文学性描述，幻想加工出了一种关于中世纪工匠自由快乐创造的传奇生活，但这种饱含浪漫气息的视野，迅速地吸引了众多门徒共同聚拢在他高举着的革命旗帜之下。哥特时代成了一个关于信念、理性、骑士，尤其是工匠精神的新时代之典范。在莫里斯宣言所催生的手工艺运动中，“复乐园”成了一曲反复歌咏的华章，它先在英格兰广为传颂，随后传遍了欧洲大陆和美国。

莫里斯的中世纪主义学说中有一个矛盾点，常被那些急于追随莫里斯理念的工艺美术家们选择性忽略或刻意谅解——即一旦抵制机器，就无法开展小成本的生产。但他成功说服了众多艺术界人士，包括那些画家、建筑师、手工艺人们，去回归一种家庭作坊式生产的光荣传统，对于他来说，这也是社会良知的体现。

莫里斯自己的设计作品则展现了一种进步性的传统主义。在他的壁挂和绣品中，伊丽莎白和詹姆斯时代风格影响甚为明显，但他的大部分设计本质上都极富原创性。他对英国本土装饰性植物纹饰的偏好，以及对传统手工艺的赞颂，为欧洲新艺术运动提供了两块重要基石。在莫里斯之后的一代英国人：包括查尔斯·沃赛[Charles Voysey]、恩斯特·阿奇伯德·泰勒[Ernest Archibald Taylor]、恩斯特·牛顿[Ernest Newton]、查尔斯·阿什比[Charles R. Ashbee]以及哈尔西·李卡多[Halsey Ricardo]，他们都拒绝比利时和法国同僚们对莫里斯学说极端化、程式化的演绎，更为支持英国的艺术与手工艺运动和唯美主义运动中所奉行的那种低调朴素、理性真实并且风格化的表现。

如果说莫里斯是新艺术运动的理论先驱，那同时身为建筑师、平面设计师、手工艺人、（以及日后的）经济学家的英国人阿瑟·马克莫多[Arthur Heygate Mackmurdo]（1851—1942），则是最早在设计领域展开实验的践行者。马克莫多的设计在当时的欧洲显得极为与众不同。他作品中有两大元素，展现出他前所未有的天才：一是简洁的线条，二是运用强烈对比色（比如黑与白）呈现的非对称造型。他对植物纹饰的运用和抽象提炼，让他在同时代竞争者中迅速脱颖而出。

他在1883年创造了一张具有革命性意义的椅背，直接引燃了世纪末的装饰运动[fin-de-siècle]（图2）。这把由一排摇曳生姿的细长蔓条所构成的透雕椅背，已被今天的评论家视作新艺术浪潮的先锋作品。靠板前部的动势和背部的静态相互映衬，共同构成了一幅逼真的错视画[trompe l'oeil]效果，整体构图如同洋流中跃动的海草一般，充满了无尽的韵律与动感。这种对运动的着迷，后来成了世纪之交的设计作品中最显著的特点。

马克莫多公认的第一件具有新艺术风格的平面作品，是他为《雷恩城市教堂》[*Wren's City Churches*]创作的内封设计，由G.艾伦[G. Allen]在1883年出版。在这件激进的作品中，阿拉伯式的植物涡卷纹样和封面字体融合交织，共同营造出了一种运动感，让人不由联想起他的椅背设计。这成了马克莫多二维设计中的标志性元素，风格性的图案漂浮在空气或水面构成的背景之上，以连绵不绝的动态左右摇摆——但在一些时下评论家的眼中，这个图案与其说是草本植物，不如说是跃动的火苗和烈焰。这种由绝对的平面、波浪形植物造型以及强烈对比色所组成的构图，比新艺术运动发展到成熟期的经典平面样式要整整提早15年，但在今天看来，二者早已浑然一体，无法区分。

马克莫多还为杂志《木马》[*Hobby Horse*]设计插图和字体，这本杂志由世纪行会[Century Guild]在1884年出版，之后在1886年至1892年间持续发行。马克莫多的这部分作品，虽然在1886年利物浦展览会上曾被誉为欧洲最前沿的平面设计，但事实上对他本国同胞的影响微乎其微。这指的是诸如沃塞[C.F.A. Voysey]、贝利–斯科特[M.H. Baillie-Scott]、恩斯特·吉姆森[Ernest Gimson]、阿什比[C.R. Ashbee]、乔治·沃尔顿[George Walton]等一批英国设计师。相比于马克莫多纸面作品中超前的新艺术风格抽象花卉，反而是他的建筑和家具设计给了英国设计师们更多灵感，他作品中采用的茎干状直角支撑结构，常赋予观众理性与克制之感。虽然在版式设计领域，马克莫多没有在英国找到继承者，但是在欧洲大陆，两个德国人，赫曼·奥尔布利斯[Hermann

2

2. 阿瑟·马克莫多，椅子，约1883年。

Olbrist]、奥托・艾克曼[Otto Eckmann]，以及两个比利时人，亨利・凡・德・威尔德[Henry van de Velde]、乔治・莱曼[Georges Lemmen]，已经在酝酿并期待着大陆即将掀起的马克莫多式灵感热潮。

马克莫多还引领着他的读者认识了一个比他更早的新艺术运动先驱，诗人兼插画家威廉・布莱克[William Blake]（1757—1827）（图3）。《木马》中重新刊发了布莱克曾为《天真之歌》[*Songs of Innocence*]（1789）和《恋人飓风》[*Whirlwind of Lovers*]（1824—1827）所创作的蚀刻版画和蛋彩画。画中流畅摆动的波浪形线条装饰，图案与字体两相交融的强烈风格，以及页边留白的处理手法，明确奠定了布莱克作为新艺术运动源头艺术家的地位。尤其是在《天真之歌》中，布莱克展现了一种生机勃勃的植物风格版面装饰，这种平面化且简练的形式，显露出他对日本浮世绘的熟知。布莱克作品中的生命与表现力，对马克莫多以及《木马》中的其他设计产生了深远影响。

另一位为萌芽期的新艺术运动提供灵感的，是英国设计师和图书插画家沃尔特・克兰[Walter Crane]（1845—1915）（图4）。虽然克兰称不上是一个有天赋的艺术家，但他在实用艺术领域中进行了广泛创作，设计了很多器物，并且技艺日渐精湛。克兰涉足的领域有瓷器、织物、墙纸、绣品和图书插画设计等，从19世纪60年代晚期开始，他还制作了彩绘玻璃。他的某些作品带有拉斐尔前派和文艺复兴的味道，但在壁纸和儿童书籍方面，他的创造是全新的。当然，偶尔也会显得过于多愁善感和甜腻。他最初的墙纸设计是一种树枝花卉、鸟雀动物交错缠绕的图案样式，由莫里斯风格所激发，一经推出便在欧洲大陆获得了普遍赞赏。但真正直接启迪了新艺术运动的装饰元素，在他为儿童书所画的插图中。这些将童话和儿歌辑录成册的小人书，被称作“玩具书”，克兰为它们配上了充满花卉纹样的图案设计，显得奇妙天真，烂漫可爱。

3

4

出版于1889年的《芙洛拉的盛宴》[*Flora's Feast*]，在插图方面尤其展现出令人惊艳的先锋特质。这批插图表现了一个年轻的女子芙洛拉，正在以不同的姿态召唤花儿们从冬眠中苏醒过来。被水仙、银莲、百合包裹着的芙洛拉，秀发在风中轻舞飞扬，构成了一系列优雅动人的女人花[femme-fleur]图像。今天的观众可能会误以为，15年之后的巴黎沙龙才是这种女人花图像的起源之地，但这显然是一个可以被谅解的大误会。克兰画中淡雅和谐的色彩以及平涂性的技法，也显示了他对日本风[Japonisme]的青眼有加。这又是一个将他与后来新艺术运动平面艺术家联系在一起的特征。克兰日后的两部作品，《插图版莎士比

3. 威廉·布莱克，《天真之歌》扉页水彩着色蚀刻版画，1789年。

4. 沃尔特·克兰，《芙洛拉的盛宴》插画，1889年。

亚》[*Illustrations for Shakespeare*]（1893—1894）和《牧人月历》[*The Shepheard's Calendar*]（1895），更是为他在海外的声名奠定了基础。

克兰和他的朋友威廉·莫里斯一样，抱有手工业优于工业大生产的信仰，并且接受了与此相关的社会主义哲学。他对于这项事业的贡献是伟大的：1884年，他成立了艺术工作者联盟。四年后，又和路易斯·戴[Lewis F. Day]共同创立了艺术与手工艺展览协会。他的目标是"将我们的艺术家变为手工艺人，将我们的手工艺人变为艺术家"，这个理念后来被亨利·凡·德·威尔德带往英吉利海峡的对岸，并且在他一生中反复多次地重申与强调。

1911年，当新艺术运动事实上（de facto）已经在欧洲销声匿迹很久之后，克兰在他的自传《从威廉·莫里斯到惠斯勒》[*William Morris to Whistler*]中正式宣布和这场运动脱离关系，并将新艺术称为"那场诡异的装饰传染病"。和他的大部分同胞一样，克兰曾经自认为是这场新运动的先锋，并将运动早期的成果归功于自己的参与。但是没过多久，克兰就宣称被新艺术的粗俗商业形式所惊骇，并尽一切可能地要和它撇清关系。

另一个在新艺术运动革命中发挥无限影响力的元素是日本风[Japonisme]。1854年2月，由海军准将马休·佩里[Matthew C. Perry]代表美国与日本签订亲善条约之后，日本风迅速在西方社会中成了一种流行风尚。根据以往的传统，欧洲人并不能清楚辨析出日本艺术和中国艺术的差别，大部分从远东进口的商品都被贴上了"东方"或者中国风[le gout Chinois]的标签。比如在家庭装饰领域，19世纪由巴黎橱柜工匠复兴的马丁漆[Vernis Martin]风格，他们生产一种仿漆器家具，并且同时从中日两个国家的艺术中挑选图像进行描画模仿。不过自从佩里与江户幕府签订亲善条约之后，日本与西方诸强随即完善了一系列通商法案，关于中国与日本文化间的差别也逐渐在欧洲清晰了起来。

西方艺术家从日本同行处学习了一系列的构图法，尤其是平面性的外框、扁平化的视角（多数是鸟瞰图）、大面积色块和用剪影表现轮廓等等一系列技巧。日本风甚至一度被艺术家和设计师争相采纳，比如图卢兹-劳特累克[Toulouse-Lautrec]、惠斯勒[Whistler]、乔治·奥利尔[Georges Auriol]、艾米尔·盖勒[Emile Gallé]等，都开始采用日本风格的涡卷饰和日本书法为他们的作品签名。

为西方艺术家和室内设计师提供灵感的是大量日本艺术品，包括葛饰北斋[Katsushika Hokusai]（1760—1849）、安藤广重[Ando Hiroshige]（1797—1858）和喜多川歌麿[Kitagawa Utamaro]（1753—

5

5. 安藤广重，《开花的李树》木刻版画，1867年。

1806）所制作的浮世绘、木版画和漆绘（图5）。其中葛饰北斋的《北斋漫画》[*Mangwa*]，成为了解日本纹饰及纹饰间相互构成关系的重要纸本资源。日本扇、瓷器、珐琅器、面具、屏风以及和服，在19世纪50年代中期大量涌入欧洲，为艺术创造提供了充分的灵感。到了1862年伦敦的世博会以及1867年巴黎的万国博览会，这股东方热已经不折不扣地横扫了整片欧洲。

日本艺术家们从自然中汲取灵感的做法，很快就被西方画家们运用到作品中。不仅竹子、鲤鱼、紫藤、杏花、水仙等元素被西方装饰界全面采用，而且日本艺术家所钟爱的柔和色调、所强调的自然诗意，也被西方艺术家们全盘采纳。大量模仿者在美术界和实用美术界不断涌现。事实上，几乎新艺术运动的所有领域都受到了这种东方主义的影响，唯有建筑界（霍塔除外）和雕塑界所受到的冲击相对少一些。

在日本文化的鼓吹者中，有两位狂热的商人，他们分别是西格弗里德·宾[Siegfried Bing]和亚瑟·利伯提[Arthur Lasenby Liberty]。这两位对于日本文化的强烈爱好，注定他们在日后的装饰艺术圈中，将成为宣传并营销新艺术运动的关键人物。

宾出生于德国汉堡，但后来加入了法国籍。他曾在1875年访问了日本，回到欧洲之后，他便立即在巴黎肖沙街19号开设了一家专门经营日本工艺品的商店（此后，他将店面迁移到了普罗旺斯路22号转角处，命名为“新艺术之家”[Maison Art Nouveau]）。宾从1888年起，就开始着手创办一份杂志，叫《日本艺术》[*Le Japon Artistique*]，当中收录了大量文章，专门用来推广介绍日本生活的方方面面。

亚瑟·雷森柏·利伯提[Arthur Lasenby Liberty]（1843—1917）的人生经历和宾极其相似。利伯提早年在伦敦的一家百货公司法莫罗杰商场[Farmer & Rogers]担任东方商品的库房经理人，整日与琳琅满目的远东进口货品打交道，这让利伯提对日本艺术产生了深厚的感情。1874年当法纳罗杰商场倒闭的时候，利伯提收购了他们数量可观的积压货物，第二年就在摄政大街上开张了以自己姓氏命名的利伯提商场[Liberty]。他销售的货品中有大量的日本丝绸、亚麻织物和印花棉布，成功吸引了拉斐尔前派和惠斯勒等画家的注意力。1889年，当利伯提前往远东旅行归来后，为了抓住巴黎即将举办万国博览会的商业机遇，他在巴黎的歌剧院大街上又新开了一家分店。这家商场直到1931年

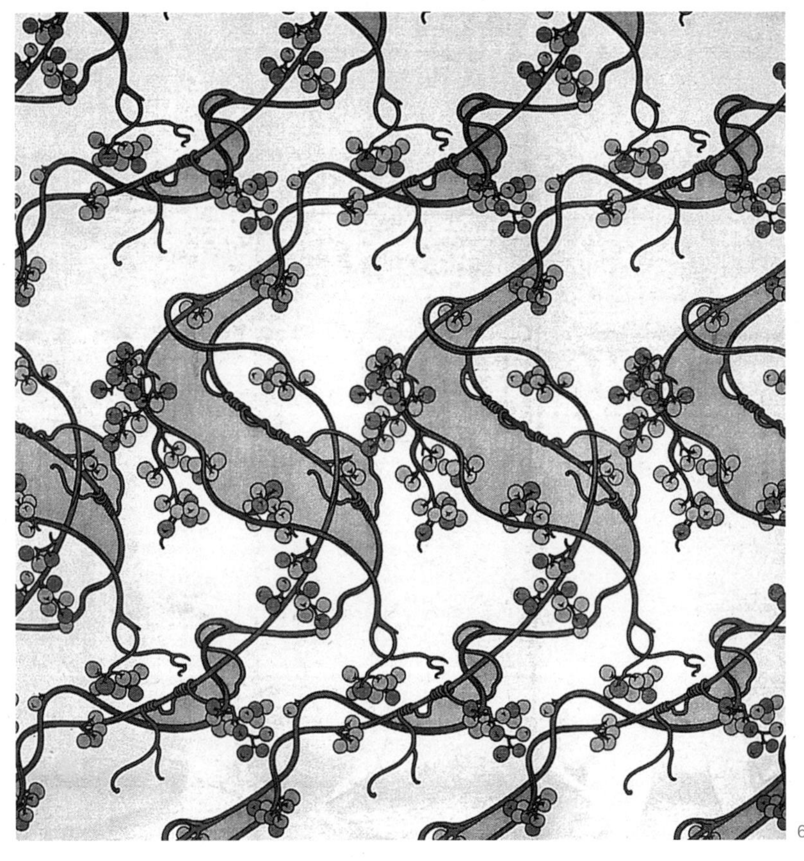

6

6. 利伯提公司，滚筒印花棉布，约1894年。

才停止经营。

跟家居用品比起来，真正为利伯提商场赢得世界级声望的，是他们的纺织品销售：他们起初出售的是日本进口织物（图6），到了19世纪90年代初，大量新兴的现代主义风格产品开始上架。尤其是在90年代，购买利伯提商场的商品，已经成为欧洲各国时尚精英标榜自己社会地位的象征。这大力促进了新运动中曲线性装饰语言的传播，并一举将之推上了主流设计风格的地位。最初涌现的新设计织品，大多是马克莫多风格的模仿者或追怀者。但是从1896年开始，利伯提发展出了一种具有独立精神的原创设计，激发海峡对岸的竞争公司也生产了大量相似纹样的墙纸和靠垫。

詹姆斯·阿伯特·麦克内尔·惠斯勒[James Abbott McNeill Whistler]（1834—1903），是一个既自负又装腔作势的唯美主义者。他是美国人，但常年侨居海外。他也是伦敦艺术界第一个从作品到私人生活方式都深受日本文化直接影响的重要画家。惠斯勒在1863至1864年间创作的布面油画《瓷国公主》[*La Princesse du Pays de la Porcelaine*]（图7），体现了他早年对日本木版画的痴迷。那种浮世绘式空间和线条的对比关系，共同构筑了一种既深刻又复杂的简约之感。就连惠斯勒本人标志性的蝴蝶签名，也是仿冒了日本版画家的做法。这更突显了惠斯勒对于日本艺术的优雅之美，有着难以掩饰的狂热。

我行我素的惠斯勒并没有加入任何一个艺术社团，但他却和拉斐尔前派的成员关系良好，因为他们共同分享着对于日本艺术的激情。比亚兹莱[Beardsley]在很大程度上也受到了他的影响。先是1863年，然后又在1867年，惠斯勒两度将他的房间进行了日式风格的改造。他挑选了一系列柔美和谐的色调，包括柠檬黄、珍珠白、肉粉和金色，选作

7. 詹姆斯·阿伯特·麦克内尔·惠斯勒，《瓷国公主》，1863—1864年。

7

他房间内壁纸和软装丝织物的色调。房间中少量的白漆家具用金叶包边点缀，既是吸引视线的点睛之笔，又和遥相呼应的白色护墙板拉开了距离，这就是典型的英式和风品位。1876至1877年，受轮船大亨雷兰[F. R. Leyland] 邀请，惠斯勒在其伦敦府邸中，为他设计了一个专门用来储存瓷器收藏的房间，被叫作孔雀厅 [Peacock Room]。这个奢华富丽又极具异国情调的房间，让惠斯勒声名远扬。孔雀厅的引人瞩目之处，一方面是因为它运用了世纪之交最为流行的装饰图案"孔雀"来作为主题设计元素，另一方面是因为整个房间的布局都突出强调了纵向视觉。后面这一点，日后被科罗曼·莫塞尔[Koloman Moser]、阿尔道夫·卢斯[Adolf Loos]和其他一些维也纳分离派[Viennese Secessionists]的成员学去并运用在自己的作品中。

惠斯勒的名声渐渐传到了欧洲大陆，尤其在布鲁塞尔，有一个叫作二十人展[Les Vingt]的团体，邀请惠斯勒参与了他们从1884年到1894年举办的所有展览。通过这个渠道，惠斯勒对比利时的先锋画派产生了巨大影响，后者不仅助推了日本风的传播势头，而且巩固加强了日本风在反抗传统主义艺术的新运动中所发挥的作用和产生的影响。

至于新艺术运动中令人头疼的小顽童奥博利·比亚兹莱[Aubrey Vincent Beardsley]（1872—1898），他的艺术人生简直是这场运动的缩影：一夜成名春风得意，然后经过一系列的变化和改革之后，又突然仓促落幕，戛然而止。1891年，当比亚兹莱19岁的时候，他曾拜访爱德华·伯恩–琼斯[Sir Edward Burne-Jones]，并把自己的绘画作品集展示给他看。受到这位拉斐尔前派大师的赞赏和鼓励之后，比亚兹莱辞去了保险公司职员的工作，决心成为一个全职的平面艺术家。而在这一方面，他可以说是完全无师自通、自学成才的。次年，比亚兹莱为托马斯·马洛礼的传奇文学《亚瑟王之死》[*Morte d'Arthur*]配了350张插画，全部用印度墨水绘制。这套插图运用了大量平面性的装饰花纹，体现了比亚兹莱从日本木版画中所摄取的养分。同时，这套插画对于卡美洛生活辛辣讽刺的表现手法，也将比亚兹莱和莫里斯及他的信众们明显区分了开来，毕竟在后者的眼中，中世纪骑士精神总是充满美好与幻想的。

在短短一年之内，比亚兹莱就成长为一个拥有娴熟技巧的绘图师，他能随心所欲地挥洒线条并将灵感呈现出来。他为奥斯卡·王尔德[Oscar Wilde]的《莎乐美》[*Salome*]所配的插画（图8），显示了对于日本风格的全面驾驭。很显然，比亚兹莱深谙一个成熟艺术家应该如何去平衡一幅画面成片的黑色图形，并巧妙留出用来作为间隔的空白部分。一组组细微精致却又清晰灵动的线条，扭动着，流淌着，掠过纸面，裹挟又统一着相邻的块面。比亚兹莱对于这种图式的运用是如此精妙，以至于有时候肉眼甚至难以分辨，画面上哪些部分是他画上去的，哪些部分又是纸面原本的材质。除此之外，比亚兹莱还曾将自己的创造力投入书籍装帧和海报设计，但在这些领域，他的作品就没那么具有冲击力了，更多的只是对布莱克和马克莫多风格的相遥呼应。

给比亚兹莱真正招来恶名的并不是他的平面绘画技巧，而是他作品中令人毛骨悚然的题材和形象。他的表现手法常令人联想起人性中充满罪恶的黑暗一面：变态、情色、堕落、邪恶，这也是维多利亚社会中常常被视为禁忌的一面。比亚兹莱曾经为企业家里昂那多·斯密瑟[Leonard Smithers]画过一系列情色插图，是给阿里斯多芬的低俗戏剧《利西翠妲》[*Lysistrata*]所配的一套私藏本，比亚兹莱在这套私人作品中，尽情嘲弄了他那个时代虚伪的道德标准。

辞职作画仅仅三年，比亚兹莱就闯荡出了一片天地。1884年，比亚兹莱被任命为《黄面志》[*The Yellow Book*]的主编，然而仅在一年之后，他就因为王尔德广受非议的风化案获罪牵连，被罢免了职务。接着，他担任了另一本刊物《萨伏依》[*The Savoy*]的主编，创作了大量

8

8. 奥博利・比亚兹莱，为王尔德《莎乐美》所作的插画，1894年。

讽刺性的插画。这些插画的读者背景非常复杂，有唯美主义者、象征主义者、颓废主义者和其他自诩为世纪末运动的思想先锋，却令人讶异地得到了他们的一致热烈追捧。

比亚兹莱流星般短暂而璀璨的事业，终结于1898年的猝然死亡，他离世的时候才25岁。但比亚兹莱对于艺术界的影响可谓深刻而广阔，受他影响的艺术家包括：维也纳的克林姆特[Klimt]、芝加哥的布拉德利[Bradley]、布鲁塞尔的霍塔和凡·德·威尔德、阿姆斯特丹的托罗普[Toorop]、巴黎的瓦洛东[Vallotton]、圣彼得堡的巴克斯特[Bakst]以及格拉斯哥"四人组"[The Four]。这仅仅列举了最有名的那一批艺术家，他们作品中来自比亚兹莱的影响显而易见。另外在其他领域，尤其是海报设计界，还有大量创作者从比亚兹莱那挑衅激进的黑暗才华中获得了无穷灵感。

当马克莫多改革性的设计风格传播穿越英吉利海峡，首先便传到了布鲁塞尔。在那里，它吸引了这个城市的先锋艺术家团体，他们从1884年开始，每年都举办一个二十人展的联合展览（图9）。幸运的是，二十人展的第一届展览开幕，就邀请到了新世纪的雕塑界巨星奥古斯特·罗丹[Auguste Rodin]的参与。二十人展的领头人是布鲁塞尔一个当地律师，叫奥克塔·毛斯[Octave Maus]，他寻遍整个欧洲，搜罗了所有激进前卫的艺术作品，作为反抗比利时的保守历史主义的一种抗议手段。二十人展，旨在为那些被传统沙龙展拒绝的艺术家们提供一个交流和展示的论坛（巧合的是就在同一年，出于同样的原因，巴黎也成立了独立艺术家协会）。托罗普、恩索尔[Ensor]、克诺夫[Khnopff]、亨利·凡·德·威尔德以及西欧·凡·里斯尔伯格[Theo van Rysselberghe]是这个社团的创立成员。他们在1892年将一批装饰艺术品带进了展厅，这或许是历史上第一次，装饰艺术被视作与绘画和雕塑平等的艺术门类进行展出。纵览二十人展的历年参与者名单，我们会

9. 费迪南·克诺夫，二十人展的海报，1891年。

发现莫里斯、惠斯勒、比亚兹莱赫然在列，这揭示了英国装饰艺术运动对比利时艺术的深远影响。乔治·莱曼为1891年的二十人展所作的图录封面，是一幅月光下的海面，他用旋涡状的线条来表现水面与光，它们时起时伏，宽窄不一，盘旋蜿蜒而成的构图毫不羞耻地直接借鉴了马克莫多的作品。克诺夫为1890年展览设计的图录封面，又显示了日本艺术和书道对这个团体风格的巨大影响。

到了1894年，二十人展解散了，重组为自由美学会[La Libre

Esthétique]。这个组织依旧致力于宣传展出他们所认可的前卫艺术，这其中不仅包括画家修拉[Seurat]、西涅克[Signac]、图卢兹-劳特累克、高更[Gauguin]、雷东[Redon]等创作的油画，还有大量实用美术品和家具，大多来自亚历山大·卡朋特[Alexandre Charpentier]、阿什比、鲁帕特·卡拉宾[Rupert Carabin]、亨利·克罗[Henri Cros]以及蒂凡尼[Tiffany]等人的作品。除此之外，展览还囊括了比利时最富有才华的一批人物，他们既是艺术家又是设计师，包括菲利普·沃尔弗斯[Philippe Wolfers]、维克多·卢梭[Victor Rousseau]、康斯坦丁·梅尼埃[Constantin Meunier]和古斯塔夫·赛律耶-博斐[Gustave Serrurier-Bovy]。十年之后，这个团体对于新艺术的热情终于消磨殆尽了，因而从1904年的展览起，他们开始重新推出一些其他主题的艺术展品。

这场关于"新艺术"的运动在欧洲扎根发芽之时，衍生出了各种各样带有国家性和地域性特点的不同称谓。这促使当时和后来的评论家们都迫切需要一个统一的名字，来全面概括这场运动的现代性目标和其中细微而各异的诸多方面。在法国，它一开始被叫作现代风格[Le Modern Style]，而不是后来那个更有法式风情的新艺术[Art Nouveau]。新艺术这个名词，是外国评论家用来描述西格弗里德·宾的新艺术之家画廊中，那些别具一格的家具陈设风格时所采用的，后来逐渐成了这场运动真正为人们所熟知的名字。到了19世纪90年代，众多艺术期刊在欧洲争相出版，比如《潘》[*Pan*]、《艺术与装饰》[*Art et Décoration*]、《装饰艺术》[*L'Art Décoratif*]、《画室》[*The Studio*]、《青春》[*Jugend*]、《德国艺术与装饰》[*Deutsche Kunst und Dekoration*]、《艺术世界》[*Mir Isskustva*]等，这在很大程度上帮助读者熟悉了新艺术运动，并且建立了相关的品评标准和专业词汇。

可以预测的是，不同国家的当地文化特色决定了对新艺术运动的命名之法。举个例子来说，比如在德国，它分别被称作青春风格[Jugendstil](来自慕尼黑致力于宣传这种风格的艺术杂志《青春》)、百合花风格[Lilienstil]、波浪风格[Wellenstil],以及带有明显贬义色彩的绦虫风格[Bandwurmstil];在意大利,它被叫作自由风格[Stile Liberty](来自于伦敦的利伯提商场)、花朵风格[Stile Floreal]、意面风格[Stile Nouille]以及通心粉风格[Stile Vermicelli];在比利时,它被叫作鳗鱼风格[Paling Stijl];在奥地利,它被叫作分离派[Secession]。西班牙赋予这个运动的名字或许是差距最大的,叫现代主义[Modernista]。在其他地方,尤其是法国,它还被叫作地铁风格[Style Métro](根据吉马德所设计的巴黎地铁入口命名)、格拉斯哥风格[Glasgow Style](根据麦金托什和他的同伴命名)以及游艇风格[Yachting Style]。最后这个称谓来自于艾德蒙·德·龚古尔[Edmond de Goncourt],他曾在报纸专栏中讽刺嘲笑过宾在1900年万国博览会上展览的成套样品设计,在龚古尔眼里,那看起来简直就是游艇的内饰。

南锡这个城市,从历史和地理上来说一向都远离法国的主流艺术品位。它不仅是一个工业中心,还是阿尔萨斯和洛林这两个省份的铁路交通枢纽,而这两个省份在1871年曾先后被德国吞并。这座城市在世纪末法国装饰艺术方面的杰出成就,并不来自于城市的传统审美,而更多依赖的是当地居民的艺术天赋,比如说著名的艾米尔·盖勒(图10)。盖勒从19世纪80年代早期开始活跃在设计界,他一直渴望在当地建立一个区域性的工业设计联盟。1889年的万国博览会上,盖勒呈现的玻璃器和家具作品风格显著,富有创意,非常符合当时的国际品位,因而获得了极大的成功。也因此,他被推举为当地手工艺人的领袖。这群松散联结在一起的工匠们在1900年的万国博览会上集体亮相,获得了巨大轰动,他们称自己为南锡派[Ecole de Nancy]。在这个团体中,除了盖勒以外还有许多南锡当地的手工艺师,其中有很多人后来成了家喻户晓的人物。比如说家具设计和家具制造业的路易·梅杰列、尤金·瓦

林[Eugène Vallin]、雅克·格鲁伯[Jacques Gruber]、卡米尔·戈捷[Camille Gauthier]，比如玻璃工艺界的多姆兄弟[Daum frères]，皮革制造业的雷尼·维纳[René Wiener]，瓷器制造业的穆然兄弟[Mougin frères]以及比他们所有人都年长一辈的综合材料艺术家维克多·普鲁威[Victor Prouvé]，普鲁威在这个团体中担任艺术顾问和总协调者的角色。

在博览会集体亮相后的第二年，南锡派才算正式成立。盖勒被选为主席，普鲁威、梅杰列和多姆被推选为副主席。他们的组织宣言发表在《东法艺术社简报》[*Bulletin des Sociétés Artistiques de l'Est*]上，明确宣布了社团的奋斗目标：建立一个为工业设计提供专业指导的艺术流派；建立博物馆、图书馆和永久藏品机构；组织研讨会议；出版一本专业刊物；并且定期为社团成员组织展览会和竞赛活动。成员们1903年在巴黎、1904年在南锡分别举行了团体展览，这将南锡派短暂的历史推向

10. 艾米尔·盖勒，拼花镶嵌桌面，1890年。

11

11. 西格弗里德·宾的新艺术之家的广告招贴，约1900年。

了一个高潮。然而，盖勒在1904年末的逝世标志着这个团体将走向衰落。其余的成员一直坚持到了1909年的法国东部博览会，至此之后，这个团体就从历史中消失了。南锡派各种形式的作品中，经常采用大量的花卉造型，艺术家常根据本地花卉品种加工出艺术化的百花齐放图样，这种花团锦簇的风格让他们的作品在很长时间中都受到了欢迎与追捧。

南锡派对于新艺术运动的表现，与欧洲其他地区的新艺术风格截然不同。在南锡，艺术家们以一种淋漓尽致的写实主义手法来描绘大自然。而在别处，自然则始终需要臣服于不同的风格程式，比如在布鲁塞尔和巴黎，讲究精致含蓄，在格拉斯哥和维也纳，又推崇错综复杂。

在巴黎，新艺术运动从19世纪90年代早期开始，就由西格弗里德·宾大力推动造势。自从1889年在万国博览会上接触到了这种新兴的艺术风格，宾早年对远东艺术的迷醉狂热就为其所取代。1893年，宾前往芝加哥参加哥伦比亚博览会，在那里他遇见并结识了路易斯·蒂凡尼[Louis Comfort Tiffany]，两人一拍即合，决定在欧洲和美国同时推动这场艺术运动。他们的会面促成了一桩双赢的合作生意：对于宾来说，他成了美国最前卫的装饰艺术家的代理人；对于蒂凡尼来说，他得以将自己的玻璃工艺品放在宾的画廊中展出，这能帮助他接触到他所需要的海外观众群体。

于是在1895年12月，宾的新艺术之家画廊开张了。开幕展览上展出了十扇由纳比派[Nabis]成员设计的窗户，包括图卢兹–劳特累克、皮埃尔·博纳尔[Pierre Bonnard]、保罗·兰森[Paul Ranson]、爱德华·维亚尔[Edouard Vuillard]和亨利·伊贝尔斯[Henri Ibels]。这些画家所设计的图稿，由纽约的蒂凡尼采用神奇的法夫赖尔[Favrile]玻璃技术全部实现。新艺术之家迅速成为这场新运动在巴黎的代言人，在这里，人们可以欣赏到凡·德·威尔德、比亚兹莱、莱丽克[Lalique]、科隆纳[Colonna]、盖拉德[Gaillard]以及德·弗尔[de Feure]的最新作品。

1900年的万国博览会，为宾提供了一次大放异彩的成功机遇（图11）。他在博览会上陈列了一系列的成套样品房，由他最出色的三位设计师所设计，分别是：科隆纳（图12）、德·弗尔和盖拉德。宾非常清楚，一个房间的整体空间氛围才能给人留下久久难忘的深刻印象，而不是房间中单个的构成物件。为了达到这个目的，他在展场中搭建了一个个独立空间，每个空间都由成套的设计样品组建出一个和谐的整体：包括家具、织物、桌布、墙纸、瓷器以及各式各样的小艺术品，在风格和色彩上全部互相和谐呼应。对于巴黎人来说，习惯了城市中每间公寓充塞到窒息的历史主义审美之后，再见到如此精细而考究的房间，一时之间引起无数人的惊

12

艳赞美。当然，人群之中也有对此并不认同的观众。比如一个德国评论家马克思·奥斯本[Max Osborn]就在《德国艺术与装饰》中发表了他对于宾的展览馆的评价。在这篇评论中，他以一种毫不掩饰的讽刺口吻，表达了一个田园生活爱好者对法国新艺术运动的不屑："对于我们德国人来说，（新艺术）未免太女性化，太古里古怪，太轻佻浪荡了。然而对于法国人来说，这些东西或许正是他们所渴望的。"

新艺术之家于1904年闭门谢幕。第二年，宾就去世了，由他赋予名字的这场运动也很快撤离了历史舞台。

另一个活跃在巴黎的德国艺术评论家朱利斯·迈耶–格拉斐[Julius Meier-Graefe]，和宾所扮演的角色十分相仿，也成了新风格的交易商和赞助人。作为一个现代艺术的忠实信徒，迈耶–格拉斐尝试将这种风格以一种连贯的形式，融入室内设计的方方面面。1898年，他也开了

12. 1900年万国博览会上爱德华·科隆纳为宾设计的新艺术展览馆。

一家艺术品店，叫现代艺术之家[La Maison Moderne]，坐落在巴黎小田街上，用来展示他的工作室设计并制造的家具。随着不断累积引进新人才，迈耶–格拉斐的设计师团队逐渐可以和新艺术之家相媲美，其中包括凡·德·威尔德、艾贝尔·兰德里[Abel Landry]、保罗·福洛[Paul Follot]、莫里斯·杜福伦[Maurice Dufrène]（图13）以及伊曼纽尔·奥拉齐[Emmanuel Orazi]等人。

现代艺术之家所获得的商业性成功，和巴黎沙龙中新艺术运动的一时风靡脱不开关系。在1900年的万国博览会期间，这家艺术品店曾生意火爆，宾客盈门。但仅仅三年之后，经营状况就一落千丈（它和宾的新艺术之家在同一时间段倒闭关门）。然而对于那些曾在其中工作过的设计师，尤其对于福洛和杜福伦来说，现代艺术之家给他们未来的个人事业发展提供了一块绝佳的跳板。

在德国，赫曼·奥尔布利斯[Hermann Olbrist]（1863—1927）早年曾在《青春》杂志发表过一幅作品，看起来十分与众不同。1894年，奥尔布利斯将他的绣品工作室从佛罗伦萨搬到了慕尼黑，就在这个阶段，他制作了一件命名为《仙客来》的壁挂。这件作品中装饰着一朵丝绢花，由一系列弯曲翻滚的线条和环形构成图案。这朵花狂放的动态，让一个评论家想起“一条鞭子在噼啪甩起时形成的激烈曲线”，发表在柏林的《潘》杂志上。这个想法在当时广为传播，以至于这件壁挂后来就被人们直接称作《鞭绳》（图14）。

达姆施塔特市的艺术家入驻计划，是德国另一个巩固扩大新运动地位的项目。1899年，年轻的黑塞大公恩斯特·路德维希邀请了七位德国艺术家和奥地利艺术家，在达姆施塔特市的玛蒂尔德高地上，共同组织成立一个永久的艺术家社区（图15）。这七位艺术家分别是彼得·贝伦斯[Peter Behrens]、鲁道夫·柏塞特[Rudolf Bosselt]、保罗·伯克[Paul Burck]、汉斯·克里斯蒂安森[Hans Christiansen]、路德维·哈

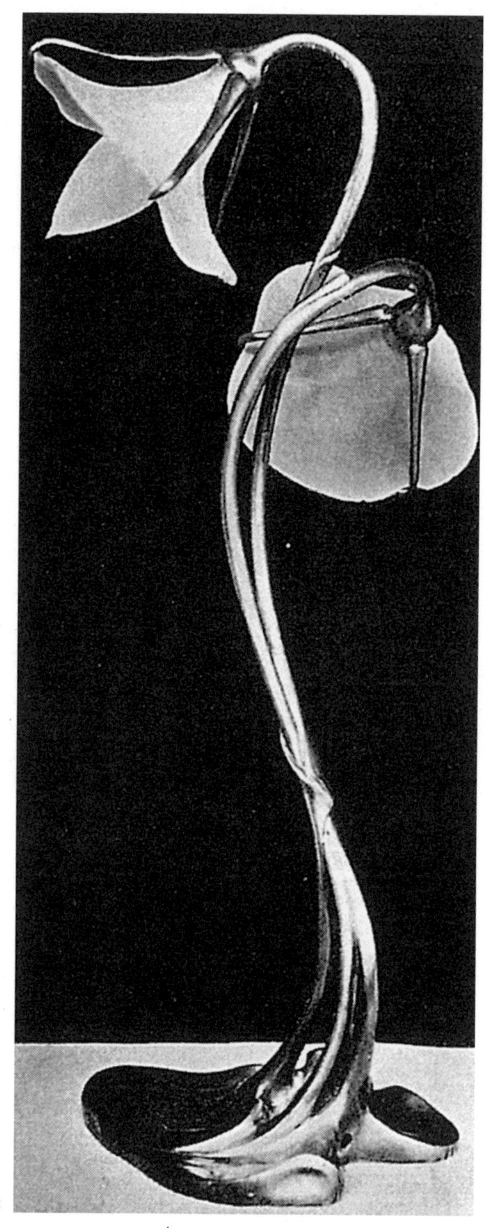

13

13. 莫里斯·杜福伦，为1901年装饰艺术家协会展览设计的青铜台灯。

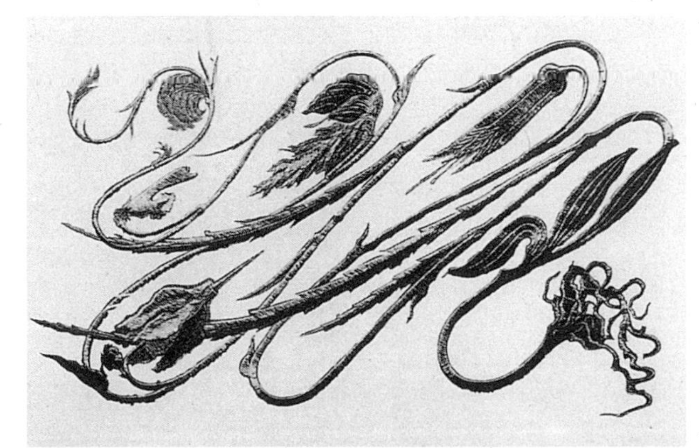

14

15

14. 赫曼·奥尔布利斯，《鞭绳》，壁挂，1892—1894年。

15. 彼得·贝伦斯，玛蒂尔德高地上的住处，达姆施塔特市，1901年。

贝奇[Ludwig Habich]、帕崔·胡贝尔[Patriz Huber]以及约瑟夫·奥布里希[Joseph M. Olbrich]。在这个艺术家村中，除了其中一栋房子之外，贝伦斯设计了其他所有的建筑（奥布里希所居住的那栋是他自己设计的）。黑塞大公的灵感来自于英国的艺术与手工艺运动，他曾经在1898年邀请贝利-斯科特来为他设计家具，在这个过程中，他一定对艺术与手工艺运动的宣言和理念有了一定了解。这个艺术家村团体的第一次公开展览，是1900年的万国博览会。随后在次年的10月，他们在玛蒂尔德举办了官方揭幕展“德国艺术档案”。之后他们还参加了1902年的都灵博览会，以及1904年圣路易斯的世博会。

除了达姆施塔特以外，德国许多其他城市也对英国的艺术与手工艺运动表现出了积极的关注和响应。在19世纪80年代到90年代之间，德国成立了许多手工艺社团，其中有一个来自慕尼黑的团体尤其对日后的设计业产生了深远影响。这个叫作德国工坊[The Deutsche Werkstätte]的团体成立于1897年，是由卡尔·施密特[Karl Schmidt]在慕尼黑组织成立的先锋社团。他们掀起了世纪末的国际运动，引领了由手工工艺的观念转向批量生产的演进浪潮。相比英国与欧洲其他国家，德国人对于这个关键问题的质疑与反思要超前得多：莫里斯所谓的手工艺人的个人传统还应该继续得到赞扬和巩固吗？它是否应该让位于标准化构件的工业生产形式？这场辩论对于新艺术运动的设计师们来说，无疑触及了至关重要的核心问题：到底应该如何调和个人手工制造和工业设计间的关系？

如果不是突然爆发的第一次世界大战，1907年在慕尼黑发起的德意志制造联盟[Deutsche Werkbund]运动早已经决定了每一个德国工匠的命运。这个联盟的发起者赫曼·穆特修斯[Hermann Muthesius]（1861—1927），邀请了一群实业家，来帮助共同规划能够适应机器时代大规模生产所需要的标准件。事后看来，这项行动绝对是改变现代设计史的重要转折点。德意志制造联盟所造成的影响，远远不是我们这本书能够说完的，这里仅仅提一点，那就是这个联盟所提出的纪律严明、实用主义的理想后来直接由格罗皮乌斯[Gropius]和包豪斯[Bauhaus]继承了过去。虽然从人们印象中的时间和观念上来看，两者之间仿佛相距很远，但事实上包豪斯只比青春风格的巅峰时期晚了20年。

在维也纳，人们所关注的东西和慕尼黑全然不同。维也纳人在意的是如何将艺术与工业联合在一起，共同对抗大规模生产的俗气产品，而不是向传统手工艺人开战。人们已经意识到相比于机器制品，手工艺品制作精良、质地实在，对于国家的道德和经济的健康发展更为重要。如果传统手工业能够使自己与现代生产方式相结合，尤其是和工业机器相互结合的话，那就能够在保证质量的同时降低成本，共同达成一个可以接受的折中方案。就算在实践中不是双方利益最大化，也是一个切实可行的双边联盟。

维也纳美术学院建筑学院的院长奥托·瓦格纳[Otto Wagner]（1841—1918），成了维也纳分离派的幕后推动者。分离派成立于1897年，是世纪之交活跃在维也纳的数个改革组织中最有影响力的一派，他们全力鼓动并推行着变革的到来。在瓦格纳的影响下，约瑟夫·霍夫曼[Josef Hoffmann]（图16）和科罗曼·莫塞尔成了分离派的核心成员。他们俩都是维也纳艺术与手工艺学校的教师，在1903年共同成立了维也纳工坊[Wiener Werkstätte]，并开展了一系列合作项目，志在推动奥地利的艺术和工业完成最高形式的结合。在1900年分离派所举办的第八届展览以及1901年德国人举办的“艺术爱好者之家”竞赛中，查尔斯·麦金托什分别展出了他创作的作品，霍夫曼和莫塞尔对麦金托什的设计激赏不已，他们决定在格拉斯哥风格的基础上，去创造一种带有维也纳本土文化意味的装饰。然而法国新艺术运动和德国青春

16

风格所偏爱的图像元素，如花朵和腰肢柔软的女神形象，一定是被维也纳人拒之门外的。取而代之的，是一种整洁纤细，充斥几何图案的直线棱角。霍夫曼标志性的棋盘格纹样就是其中之一（他的同事们因此赠了他一个雅称“方格霍夫曼”）。最终，一个叫弗里茨·华恩多夫[Fritz Warndorfer]的企业家被说服，投资支持了他们的这项事业。

然而最终让维也纳工坊变得声名狼藉的原因，是因为他们公然蔑视莫里斯提出的设计服务于大众的需求。从创立开始，维也纳工坊就只

16. 约瑟夫·霍夫曼，书桌，约1901年。

针对那些殷实富足、深谙世故又见多识广的客户群体，只为这些精英群体们提供自己的服务。到第一次世界大战之前，他们制造的产品包括一系列光彩夺目的家具、金属器皿、陶瓷、织物和珠宝，这些产品的样式十分超前，和后来20世纪二三十年代流行的装饰风格特质有种相似之感。即使放在今天，许多维也纳工坊的作品看起来依旧是惊人的摩登。

1914年突然爆发的战争，让所有这些精彩的创造戛然而止。1918年，四个维也纳派的现代主义巨人：古斯塔夫·克林姆特、奥托·瓦格纳、埃贡·席勒、科罗曼·莫塞尔相继去世，这标志着一个光辉时代的终结。虽然维也纳工坊一直持续营业，一直到1931年才关闭，但后期的产品不免变得越来越商业化和轻佻流俗。

对于1900年的格拉斯哥来说，一方面是一群恰到好处的建筑学天才和他们规划的美好蓝图，另一方面是公众对当时眼前现状的日渐不满，两相碰撞之下，激起了人们对改革思潮的强烈共鸣。这个城市的新艺术运动由查尔斯·麦金托什引领，他是在哈尼曼与吉皮公司[John Honeyman & Keepie]中工作的一名年轻建筑师（图17）。麦金托什在他的建筑和室内立面设计中，引进了一种极具辨识度的装饰风格，具体来说，就是在严谨的垂直式空间基础上，大量饰以细长的玫瑰、苹果核、树木和郁金香造型，而房间的壁纸和印花软织物，则通常选用带有身姿优雅的少女的图案。

协助麦金托什工作的是赫伯特·麦克内尔[Herbert MacNair]，他是哈尼曼与吉皮公司的一名助理，另外还有一对姓麦当娜[MacDonald]的姐妹，马格蕾特[Margaret]和弗朗西丝[Frances]，她们分别嫁给了团体中的两位男士（马格蕾特和麦金托什在1900年结婚，弗朗西丝则在一年前就嫁给了麦克内尔）。这个小群体就是扬名国际的“格拉斯哥四人组”，他们发展出的格拉斯哥风格成了新运动中的重要组成部分。尤其是维也纳派，从格拉斯哥四人组独树一帜的装饰风格中借鉴了许多灵

17

感元素。

麦金托什对20世纪设计史做出的贡献和影响是惊人的，虽然与他的成就相比，他的职业生涯并不算长，但他所达到的高度，显然让其他苏格兰以南的优秀建筑师们全部黯然失色。一位英格兰读者就匿名向《我们的家以及如何美化它们》投稿，表达了他对麦金托什所设计的餐厅的评价，这典型的英国式酸嘲是这么写的："就算是唯美主义运动中最疯狂的时刻，也不及（麦金托什）一半疯狂……这种苏格兰和欧洲大陆所流行的'新艺术'，把百分之九十的人类都卷进了一场癫狂的幻想之中，企图为那些繁缛又新奇的小玩意发起一场运动，而结果呢，不过是给嘲讽者提供一个笑料，给清醒者落下一个话柄罢了。"

格拉斯哥风格到1908年就失宠了，一下子失去了所有的委任工作和曾经拥戴过他们的名流，让这场运动的倡导者们毫无准备。麦金托什

17. 查尔斯·麦金托什，为"艺术爱好者之家"竞赛创作的餐厅设计稿，1900—1901年。

承受的打击比其他任何人都要大，他最后在法国南部过着入不敷出却穷讲究排场的窘迫生活，从1923年开始，他依靠卖水彩画勉强维持着生计。他毕生的建筑设计稿，也在之后的40年内无人问津，长期被人们所遗忘。

反对新艺术风格作品的声音，从19世纪90年代开始零零散散地出现，演进到1905年，已经成了大规模群众参与的振臂高呼：人们抗议新艺术风格长期无视一件真正好的设计应该有的原则标准（也就是，物品的形式必须服务于功能）。很快，一支由批评家组成的纠察队，开始游走于巴黎、布鲁塞尔、南锡和慕尼黑等地的年度展览，专门制止未经过深思熟虑的新艺术风格过度泛滥。因为他们认为，新艺术让逻辑牺牲在了形式美的祭坛之上。

早在1900年的万国博览会上，当新艺术运动风头正盛时，就有一个警告的声音曾经出现过，那是查尔斯·热尼[Charles Genuys]，他是《装饰艺术杂志》的评论家。他曾经写道："这种被认为很新的艺术宣称用许多新的形式取代了过时的旧形式，但（新艺术）不应该忘记，它需要和它的前辈一样，保持理性逻辑，结构合理，并且仔细观察所用材料的特性和极限。"这则评论今天看来，似乎是针对万国博览会上的家具陈列所发出的批评，因为相较于其他展品，评论家最厌恶的就是家具部。其中一个展馆的内容，甚至被形容成"古里古怪，简直像个跳蚤市场"。

到了1904年，许多评论家已经公开发出挑战，质疑新艺术运动中那些由倡导者提出的观念到底是否合理。其中一篇文章，由R.D.本[R. D. Benn] 发表在《家具风格》上，写道："对于这个所谓的'新艺术'，如果我们用较为理性的目光来看，就会发现一方面那些所谓新的东西，其实并不是艺术，而另一方面，其中真正属于艺术的部分，并没有很新。我觉得没有其他更准确和简洁的语言，能够总结清楚这个情况了。"

很多年之后，一直要到1951年，在最早一批的新艺术运动回顾研究中，亨利·伦宁[Henry F. Lenning]写道："1905至1906年之后，新艺术先在法国，而后在比利时，相继失去了原有的地位。它步履蹒跚，跌跌撞撞地融进了其他的风格，逐渐被现代巴洛克风格所吸收。一言以蔽之，它作为一场轰轰烈烈运动的时光已然终结。在展览中，它再也不被视作一种独立风格。于是，当这场艺术运动从创造的地平线上迅速消逝之时，留下的只是零星设计元素，偶尔在展品中露个面，显得恋恋不舍。"值得指出的有趣的一点是，巴洛克风格延续了半个世纪，而新艺术只存活了15年（1890—1905）。

这场运动之所以迅速陨落，很大程度上也是因为它的崛起依靠的是个人主义，光芒分散在了欧洲数个国家最出色的艺术家个人身上，霍塔、高迪、穆夏、盖勒，这里仅仅列举了其中几个最有才华的名字。推动这场运动爆发的动力，更多来自于艺术家个人的成就，但这些人不仅在地域上相隔甚远，而且彼此间孤立无联系。他们缺乏一个正式的指导系统，比如像法国美术学院[Ecole des Beaux-Arts]那样，能够为他们保障某种程度上风格的延续性和标准性。更何况这场运动真正的精华——顺其自然和不受拘束的特立独行之精神，既不能教授给普罗大众，也不能让大众直接抄袭并免受惩罚。从某种程度来说，这种状况间接造成了1900到1905年的市场上，充斥着大量巴黎沙龙展的仿制品，粗制滥造的装饰艺术品泛滥成灾，其中大部分都是丑陋的小摆设和家装配件。巴黎四个最重要的展览：秋季沙龙[Salon d' Automne]、法国艺术家协会展[Société des Artistes Français]、国家美术协会展[Société Nationale des Beaux-Arts]和装饰艺术家协会展[Société des Artistes Décorateurs]，成了许多设计师了解并模仿新艺术风格的最佳途径，因为新艺术那种高辨识度和时髦新奇的感染力能够直接吸引大量观众。另外，陶瓷烧制厂和青铜铸造厂也加入了这个队伍，他们开始在沙龙上购买作品版权进行大批量复制。

沙龙上铺天盖地的艺术品暴露出了一个问题，那就是新艺术运动的设计师数量远远比不上日益增加的挑剔观众。在观众眼里，一开始尚能容忍的青春式叛逆，看得多了，就慢慢变成了陈词滥调式的乏味老套，更何况这种泛滥之势毫不知收敛。渐渐的，就连新艺术运动中曾经最具辨识度、最饱受美誉的纹样都开始变得刺眼：那无所不在的舞动线条，看起来仿佛从作品中伸展蔓延了出来，正在逐渐缠绕勒死观众的感知力；那些美好时代[Belle Epoque]的少女看起来突然变得搔首弄姿、生性邪恶，她们飘逸的长发仿佛不仅仅是松散盘绕，而是带来痛苦和纠葛的三千烦恼丝。至于这场运动中其他那些更为俗气艳丽的元素，自然很快就化为了泡影。

到了1910年，巴黎街头关于新艺术的残留痕迹，恐怕只能在朱尔斯·拉维罗特[Jules Aimé Lavirotte]刚刚建成的西拉米克酒店中找到，巴黎沙龙中那日渐褪色的花卉装饰，也成了新艺术犹存的余音。这场运动很快就落幕了，它的死亡和它的诞生一样，是一个由众多外在因素引起的自发性过程。此后，巴黎沙龙中充斥着大量毫无特色的设计，大多是过往风格的乏味重现，比如“路易十五式”，在一段短暂的时间内又重新开始讲究起了庄重体面。许多后来的历史学家在定义20世纪20年代特征鲜明的装饰艺术风格[Art Deco]时，也回头将1908至1914年间巴黎这段承上启下的时期贴上了“过渡期”的标签。

在巴黎以外的其他地区，新艺术运动最初的兴盛之势没有那么高调，因而它的衰落之势也就没有那么猝然。伴随着媒体和公众对于新艺术的批判斥责，制造商逐步减少了新艺术风格的家具和艺术品生产。

第一次世界大战的爆发，正式给世纪末装饰运动的时代拉上了帷幕。对于后世的评论家来说，这也给19世纪和20世纪的装饰设计史划出了一道清晰的分水岭。虽然新艺术运动在事实上曾跨越了两个世纪，但现在，它更多地被看作是维多利亚时期的一场运动，与现代设计的概念发展完全无关，彻底被划分进了前面那个时代。

未来20世纪的设计，很显然是由德意志制造联盟、霍夫曼、贝伦斯和卢斯的继承者们所主宰，而不是那些高迪、吉马德和盖勒的追随者们。凡·德·威尔德注重艺术家个人艺术表达的理论，很快被穆特修斯推崇的标准化所取代。“一战”后欧洲出现了一大批艺术学派，包括包豪斯、风格派、现代艺术家联盟[U.A.M.]和国际风格，每一个派别都有自己关于机器时代应有的设计目标以及独立风格的理念。

今天，距离这场运动最初的滥觞早已过百年，对于新艺术风格，如今的评论家们能够做到比前辈们更少一点敌意，更多一些客观。早年那些对新艺术的背叛和嘲讽的态度一直延续到了1950年，但这之后，好奇的情绪渐渐占了上风，随之而来的是越来越多的宽容和欣赏的目光。新艺术运动中曾经发生过的那些疯狂闹剧，如今放在更宽广的历史语境中来看，大都可以获得理解和原谅。新艺术扮演了一个“反抗”和“搅局”的角色，如果从理论层面而不是实践层面来说，新艺术一举扫平了那些19世纪社会的过时传统，也为1918年后的一系列快速发展清理了舞台。从这个角度看来，新艺术运动虽然是偏离艺术和建筑界主流之外的一条羊肠小道，但无疑是极为重要的一条小路。

或许衡量一个艺术运动成就的终极方式，是检验它们在市场中的生命力。在过去十年中，博物馆和收藏家们（包括私人藏家与企业收藏）四处搜罗新艺术运动中艺术家和设计师们的重要作品，这浓厚的市场兴趣，让新艺术的最终胜利变成了一个毋庸置疑的事实。拍卖场中人头攒动，挤满了冲着这个时期杰作而来的买家身影，这不仅带来了作品价格的飙升，也在更大程度上扩大了新艺术风格的影响力。近期围绕着新艺术运动、新艺术艺术家相关的出版物和展览，也为这场运动带来了更多声望。到了20世纪80年代，甚至在建筑界，又重新掀起了一股新艺术风格浮雕和立面装饰的复兴热潮。

第二章 | 建筑

长期在世界建筑史中被遗忘的新艺术建筑，始终是一个具有争议性的命题。虽然近年来突然增多的大量博物馆展览已然为其争取了不少地位。关于新艺术建筑的源头，可以追溯到法国建筑学理论家维欧勒-勒-杜克[Viollet-le-Duc]的作品里，他的《建筑谈话录》[*Entretiens*]分别在1863年和1872年辑录出版成了两册。维欧勒-勒-杜克支持使用现代材料，支持艺术表现的新发展形式，他鼓励将此作为克服往昔建筑风格局限性的手段。维欧勒-勒-杜克对世纪末建筑师的重要意义，在于他那个预言性的提议：他认为可以先建造一个支架，一个轻盈的金属支撑骨架，然后在外部用石砌结构围筑。只要做成拱形或悬臂式的结构方式，这种金属支架可以替换掉传统的建筑加固结构，比如拱形穹顶和飞扶壁。30年之后，路易斯·沙利文[Louis Sullivan]、维克多·霍塔、弗朗西斯·茹尔丹[Francis Jourdain]以及奥古斯特·佩雷[Auguste Perret]都见证了维欧勒-勒-杜克这个天才性预言的实现。

比利时建筑师维克多·霍塔[Victor Horta]是维欧勒-勒-杜克最出色的学生之一，他也是第一个成功地以新艺术风格实现维欧勒-勒-杜克理论的学生。霍塔选用了19世纪末具有突破性的工程材料——钢材——来作为他建筑结构中的金属支架。然而和他导师所建议的不同的是，霍塔选择让这些支架结构骄傲又大胆地暴露在外，而不是设法将它们隐藏起来。就像毛里斯·莱姆斯在《盛放的新艺术》[*The Flowering of Art Nouveau*]中所说的那样："他的房子裸露着肌肉和内脏，仿佛一个解剖学家呈上了一幅活人的解剖图，而不是死尸；他让所有一切结构都暴露在外，而这恰恰是奥斯曼的建筑师们费尽一切心思，想方设法去隐藏的部分。”其中最杰出的例子，就是霍塔为比利时社会党设计的总部大楼——人民之家[Maison du Peuple]。人民之家完成于1899年（毁于1965—1966年），建筑内部将支柱、主梁和石拱墩构成的基础架构全部暴露在外。配合着大楼的玻璃幕墙和栏杆，共同构成了霍塔独树一帜并且极具美学意义的现代主义风格。

早在这件作品之前的1892至1893年时，霍塔就曾经设计过一座震惊了整个国际建筑界的建筑，那是为富裕的比利时工程师和工业家艾米尔·塔塞尔[Emile Tassel]所建的私人府邸（图18）。这座建筑似乎让所有看见过的人都大吃一惊。据说霍塔曾经的老师阿方斯·巴拉特[Alphonse Balat]在参观的时候热泪盈眶。

在塔赛尔公馆中，霍塔将新艺术的概念引进了建筑界，并瞬间建立了一种高度成熟的模式，他把原本囿于装饰艺术界的新艺术风格，拓宽到了一个更加广阔的天地。现存的照片显示，这座建筑就是一项巧夺天工的杰作，无论是建筑样式还是装饰图案全都精雕细琢。霍塔将房子的前厅门廊设在了台阶之上，取代了当时常见的长廊样式，这样能够保证每间房间的独立性。不同楼层之间空间的连续性和流畅性由一根盘旋的线条串联起来，同时也统一了房子中的室内装饰和家具。这根遒劲而优雅、轻盈似空气的线条，成了霍塔作品中的著名印记，在他后来的新艺术作品中全都烙上了这个共同特征。尤其是他在布鲁塞尔为阿曼德·索尔维[Armand Solvay]（1894—1898）、埃德蒙·范·艾特菲尔德[Edmond van Eetvelde]（1897）、奥贝克[O. Aubecq]（1903）以及为他自己（1898—1901，现在是霍塔博物馆）设计的这批居所中，都有所体现。其中，路易斯大街上的索尔维公馆，是公认的建筑师最完整、最具创造力的建筑实体。除了维欧勒-勒-杜克的影响外，这座公馆

18. 维克多·霍塔，塔赛尔公馆，布鲁塞尔，1892—1893年。

18 ▶

设计中带有明显的洛可可和日本风的影响痕迹，然而霍塔都运用个性化的手法，巧妙地将它们抽象化了。

霍塔的客户，大都来自比利时首都的文化精英圈和以知识分子为代表的中产阶级。这个激进群体中的多数人都是工程师和前殖民者。在19世纪90年代，他们希望引领社会的各方面步入现代化进程，就连艺术也不除外。面对这样的挑战，其他建筑师们也开始采纳新艺术风格语言来作为响应的方式，但他们的作品里都缺乏霍塔的连贯性和过人天赋。这其中有保罗·哈美斯[Paul Hamesse]，他为艾米克百货公司[Ets A. Ameke]（约1903年）设计的大楼外立面，带有一种拘谨的霍塔风格的影响；还有埃米尔·凡·阿韦贝克[Emile van Averbeke]，他在安特卫普设计的自由人民之家中，运用了霍塔鞭绳一般的线条（1898）；除这两个人之外，还有保罗·汉卡[Paul Hankar]。至于其他的建筑师们，则选择了一种更为拖泥带水的复杂现代主义，通常将新艺术元素和传统风格或者美术[Beaux-Arts]风格相融合。这个领域中著名的有阿尔班·尚邦[Alban Chambon]、保罗·科希[Paul Cauchie]、安东尼·庞培[Antoine Pompe]和保罗·圣特努瓦[Paul Saintenoy]。

在这里还必须要提到亨利·凡·德·威尔德，在建筑方面他是完全自学成才的。他在比利时的大多数委任作品都是私人宅邸，包括他本人坐落在于克勒的住宅布罗门维尔夫[Bloemenwerf]（1895）。凡·德·威尔德的作品大多沉重而装饰繁缛，和沃赛的作品遥相呼应，他的建筑学说在德国更受欢迎。在那里，他创作的大部分带有新艺术灵感的委任设计稿最终都得到了实现，包括福尔克旺博物馆[Folkwang Museum]（1899—1900）的室内装饰和1906年的德累斯顿展览。他为柏林两座建筑做了室内设计，分别是哈瓦那雪茄店[Havana Company Cigar Shop]（1899—1900）（图19）和哈比理发店[Haby Barber’s Shop]（1900—1901），这些作品大大改善了人们针对他能否胜任建筑

19

20

19. 亨利·凡·德·威尔德，哈瓦那雪茄店，柏林，1899—1900年。

20. 赫克托·吉马德，自家住宅中的室内装饰，巴黎莫扎特大道122号，约1910年。

工作的怀疑态度。

霍塔的塔塞尔公馆在巴黎引起了轩然大波，赫克托·吉马德很快就将这种蜿蜒曲折的结构吸收并融入了自己独特的装饰语言体系（图20）。最终在吉马德设计的成品中，建筑主体呈现出一种奢华富丽的树脂有机风格。在今天吉马德幸存下来的作品中，巴黎地铁站入口是其中最为显著和最具代表性的。这些地铁站入口从1900年开始就矗立在原地，尤其是那些保存得更为完好的巴黎郊外僻静的站台，例如皇太子妃门站，始终提醒着人们一个世纪前新艺术风格曾经对法国首都有过何等狂热的影响。

吉马德把这种抽象化的螺旋状植物运用到了他建筑各方面的元素和轮廓中，包括建筑中摆放的家具。这当中值得一提的有贝朗热公寓[Castel Béranger]（1894—1898）、宏伯罗曼斯音乐厅[Humbert de Romans Concert Hall]（1898）、罗伊酒店[Hôtel Roy]（1898）以及在里尔的柯以略公馆[Maison Coilliot]（1897—1900）。过于陶醉在自己声名中的吉马德，在访谈和自己的名片中都自称为“艺术建筑师”，这让艺术界不少人士都对他颇有微词。

查尔斯·普罗密特[Charles Plumet]是室内设计师托尼·塞尔莫斯汉[Tony Selmersheim]的合伙人，他也选择了一种类似的抽象植物曲线风格，来给他建造的大楼增添一些现代感。但普罗密特显然没有吉马德那么自信，他又融入了一些18世纪的效果元素来削弱这种现代性。不论是有意为之还是无心插柳，他的忧虑显然是明智的。当1905年新艺术迅速失宠之后，普罗密特的建筑却幸运地逃过了评论家们严厉的批判。可惜的是，他在巴黎的大部分作品都没能保存下来，这其中包括了避风港酒店[Hôtel du Havre]、克勒巧克力店[Kohler chocolate shop]、卡多勒公馆[Maison Cadolle]和爱都华餐厅[Edouard]。与他相似的，朱勒·拉维罗特[Jules Lavirotte]于1900年在巴黎设计了一些低调的现代

21. 泽维尔·舍尔科夫，伊韦特·吉贝尔住宅中的壁炉，约1905年。

主义建筑，包括拉普广场3号（1899）和瓦格兰大街34号（1904）等公寓住所。

泽维尔·舍尔科夫[Xavier Schoellkopf]是法国美术学院的一位毕业生。他是除吉马德之外，最认真追求将新艺术图像运用在建筑领域的建筑师。比如他为歌唱家伊韦特·吉贝尔[Yvette Guilbert]设计的住宅（图21），就是一个糅合了许多现代装饰图像的成功案例。舍尔科夫的风格充满活力，但有时也会显得过于激情，评论家常说舍尔科夫不加克制，过度挥霍自己青春洋溢的热情，到了一个过犹不及的状态。

巴黎许多风格强烈的新艺术建筑，都是由相对无名的建筑师在预算很少的情况下建成的。这些建筑中有大量酒吧、甜品店、餐厅和咖

22

啡馆。很多店铺只委任建筑师设计招牌门面，而在其他一些例子中，外立面风格化的装饰也延伸进了室内陈设，比如（由建筑师路易·马内兹[Louis Marnez]设计，画家利昂·桑尼[Leon Sonnier]合作的）马克西姆餐厅，以及（由穆夏[Alphonse Mucha]设计的）乔治·福格[Georges Fouquet]的珠宝店（图22）。同样属于这个领域的短期商业项目，还有亨利·绍瓦热[Henri Sauvage]为洛伊·富勒[Loïe Fuller]在1900年万国博览会中建设的展馆，展馆入口处摆放着这位美国舞蹈家形象的圆雕，而在展馆的正立面，绍瓦热用一圈光芒四射的浮雕饰带表现了她在风中鼓胀飘动着的舞衣裙摆。

在南锡，有很多建筑师也令人毫不意外地采用了新艺术风格建筑形式，来匹配由南锡派所发起的室内设计和家具装饰热潮。其中最

22. 阿方斯·穆夏，乔治·福格的珠宝店门面设计，约1900年。

23

23. 艾米·安德烈，克劳德洛兰码头的房屋，1903年。

有意思的是艾米·安德烈[Emile André]（图23），他在一系列当地住宅设计中，将一种充满奇趣的新哥特式地方风格和强烈的现代风格融合在了一起。他的一些作品，比如克劳德洛兰码头92—93号的霍特公馆[Maison Huot]、布兰登中士大道30号（这两座都是1903年建造的），以及紫藤别墅[Les Glycines]（1902），都是这座城市曾受国际社会目光洗礼的象征。另外值得一提的是由卢西恩·魏森伯格[Lucien Weissenburger]和比耶瓦兰公司[Biet & Vallin]所设计的住宅。绍瓦热为路易·梅杰列设计的房子叫吉卡公馆[Villa Jika]（1902），至今看来依然是一座奇特的建筑，因为它同时融合了中世纪时期以及新艺术风格的外形轮廓和图像意象。

在维也纳，奥托·瓦格纳和他最有天赋的学生霍夫曼以及奥布里希[Joseph M. Olbrich]（图24），共同引领了现代化建筑的潮流。然而瓦格纳和分离派运动之间的关系有些难以定义，虽然他的许多设计可以称得上前卫，但它们往往被用于传统的形式结构之上。他所做的马略尔卡住宅[Majolikahaus]就属于这个类型（1898），这座建筑的外立面上装饰了一片片色彩鲜艳的红色花朵，呈放射状排列在向四周蔓延的茎干之上。与此相类似的，还有他为卡尔广场火车站所做的设计（1899—1900），瓦格纳用了一圈形式化的黄色向日葵饰带，为建筑做了装饰和

24

24. 约瑟夫·奥布里希，为《神圣之春》设计的维也纳分离派展览大楼草图，维也纳，1898年。

25

提亮。

奥布里希的分离派风格作品，可以粗略地被划分成早期风格和晚期风格。1898年至1904年间，他刚出道时的建筑设计活泼可爱又色彩丰富，有时候甚至略显嬉闹。他所设计的私人住宅，比如弗里德曼公馆[Villas Friedmann]（1898）、巴尔别墅[Bahr]（1899—1900）、施蒂夫特别墅[Stifft]（1899）和伯尔住宅[Berl House]（1899），都采用了一种曲线形的外立面轮廓和五彩缤纷的花朵平面装饰，这是由巴黎风格和德国青春风格所激发的灵感。奥布里希1898年为维也纳分离派自身所设计的展览大楼，可以看作是他早期风格的代表作，但出于使用目的的考虑，风格上较平时更为正式一些。这座建筑最为突出的特征，就是用镂空金属叶片构成的球形圆顶。奥布里希成熟期的作品则展现了一种

25. 约瑟夫·霍夫曼，斯托克勒特府邸餐厅设计，布鲁塞尔，1904—1911年，墙上有古斯塔夫·克林姆特所作的壁画。

26

日趋保守主义的倾向，只有一座除外，那就是达姆施塔特著名的婚礼塔[Hochzeitsturm]。

受麦金托什的启发，霍夫曼在1900年之后，决定用细长的垂直线和坚不可摧的光滑平面，来代替新艺术运动中的曲线和各种花式织物。但他在维也纳的早期建筑作品，也呈现出一种类似奥布里希作品一般的色彩缤纷，充满了亲密感与曲线设计，比如阿波罗蜡烛店[Apollo Candle Shop]和伯格霍之家[Haus auf der Bergerhöhe]（均1899年）的外立面，以及1900年万国博览会上为维也纳手工艺学校展厅所设计的室内装饰，都呈现出这样的特点。但是到了1904年至1910年之间，霍夫

26. 奥古斯特·恩代尔，艾维拉工作室外立面，慕尼黑，1897—1898年。

曼开始追求一种越来越严肃的建筑风格。比如1904年，他在维也纳西部建造了普克斯多夫疗养院[Purkersdorf Sanatorium]，1906年又建造了比尔-霍夫曼别墅[Villa Beer-Hofmann]。在这两件作品中，他开始大幅度削减早年使用的装饰元素，我们甚至可以说他是彻底摒弃了之前的风格。

霍夫曼最令人叹为观止的一项委任，是在1904到1911年间与维也纳工坊一起合作，共同为一位富有的比利时青年阿道夫·斯托克勒特[Adolphe Stoclet]所设计的府邸（图25）。霍夫曼获得了这位客户的全权委托，要求在布鲁塞尔郊外的特福伦大街上，兴建一座豪华富丽并且具有现代感的私人宅邸。霍夫曼没有浪费这个机会，他为刚开门的维也纳工坊创造了一个成功案例。最终一座庄重又朴素的公馆诞生了，整座建筑由方形大理石所覆盖，建筑四周有浮雕铜铸件包边来强调材料的折角。至于房子的室内装饰（至今依旧保持着当年的原貌），霍夫曼全面采用了维也纳工坊的设计和工艺技术。古斯塔夫·克林姆特设计的餐厅壁画由大理石马赛克、金叶和半宝石制成，为所追求的浮华奢靡效果定下了基调。

斯托克勒特公馆强有力地证明，新运动并不是非要依赖于曲线和梦幻装饰才能成立。高档的材料和无尽的垂直线设计，不仅可以运用在商业建筑，同样适用于私人住所。

对于19世纪晚期的德国传统主义者来说，新兴的青春风格中最庸俗、也是最不正常的例证，就是奥古斯特·恩代尔[August Endell]设计的艾维拉工作室[Atelier Elvira]（图26）了，那是一家慕尼黑的摄影工作室（1897—1898）。关于这座建筑的外立面和室内效果图，曾在当时的艺术杂志中广泛流传，展现了一个欠缺考虑的不对称设计图案是怎样在建筑外立面上不知所谓又放肆任性地横冲直撞的，甚至有人怀疑设计师是故意做得这么丑的。一些评论家将此与洛可可风格联系在了一起。但对于更多的人来说，这件作品最大的问题在于炫目华丽的装饰和保守传统的建筑之间始终缺乏一个明确的关系。恩代尔之后所作的一些现代风格建筑，包括他设计的柏林邦茨剧院[Buntes Theater]观众席，看起来要整体得多，但他的名字已经永远负面性地跟他早年这件现代设计作品——艾维拉工作室联系在了一起。

青春风格在德国南部的一些城市也十分流行，尤其是在达姆施塔特市，奥布里希和贝伦斯都将这种风格理念性地融入了1900年为玛蒂尔德艺术家村所设计的建筑中。然而贝伦斯对于这场新运动的迷恋十分短暂，到了1904年，他就彻底抛弃了对曲线的运用，甚至比维也纳的阿尔道夫·卢斯变得更严肃，开始反对在建筑中运用一切形式的装饰。

意大利对于自由风格有启发和贡献的建筑，当属雷蒙多·达隆科[Raimondo d’Aronco]在1902年为都灵博览会所设计的建筑主体和场馆大道（图27）：博览会的大门、中央圆形大厅、美术展馆、家居馆等等，全都光彩夺目。另外还有几位建筑师，也以生机勃勃的演绎方式投入了新运动，他们一半受到了巴黎沙龙的启发，另一半是因为当时意大利正流行的美术折中主义。这其中有朱塞佩·索马鲁卡[Giuseppe Sommaruga]，他在米兰建造了卡斯提里奥尼宫[Palazzo Castiglioni]（1903）和罗密欧别墅[Villa Romeo]（1908），这两座建筑表现了意大利人对于最新的装饰热潮自发性的热情拥抱。在其他地方，还有一些零星的建筑也见证了这种花朵风格在意大利的昙花一现，它们大多是私人住宅：比如在佩扎罗，布雷加[Brega]设计的鲁杰里别墅[Villa Ruggeri]（1902—1907）；在米兰，博西[Bossi]设计的加林波地住宅[Galimberti House]（1905）；在佛罗伦萨，由米开拉齐[Michelazzi]设计的布罗奇卡拉切尼小屋[villino Broggi-Caraceni]（1911）（图28）等等。

1900年，在英国出现的激进建筑更多来自于本国的艺术与手工艺

27

运动同盟，很少受到海峡对岸运动发展的影响。英国的先锋建筑师们放弃了大胆鲁莽的实验，也不相信任何商业上的成功案例，他们转而习惯于一种早期新艺术风格的样式，看起来更为合理、低调和简洁，其中手

27. 雷蒙多·达隆科，为都灵博览会所设计的音乐厅，1902年。

28

工艺复兴的成功迹象非常明显。

沃赛设计的建筑，传达了一种精心雕琢后的朴素质感，这是他的很多同僚们都在着力追求的。在沃赛一篇发表于《艺术杂志》[*The Magazine of Art*]的文章中有这么一段话，也反映了英国人对这场欧洲大陆运动的普遍看法："新艺术当然不配被称作一种风格。它们难道不是一大群癖好疯狂又古怪的模仿者们做出来的东西吗？正直诚实的人，一定会禁不住思考，难道艺术仅仅是一种取悦感官的纵乐放荡吗？艺术难道不是人类情感与思维的共同表达，并且应该由一种高于人类天性的尊严所指引的吗？"一言以蔽之，如果以霍塔和吉马德的作品为标准，

29

28. 乔瓦尼·米开拉齐，布罗奇卡拉切尼小屋，佛罗伦萨，1911年。

29. 查尔斯·麦金托什，布坎南大街的茶室，格拉斯哥，1897年。

那在英国是找不到新艺术风格的建筑的。

然而在英格兰的北部，麦金托什企图复兴苏格兰恢宏风格的做法，震惊了奥地利和德国正在兴起的现代主义团体。他所设计的格拉斯哥艺术学院（1896—1909）、海伦斯堡山房（1902—1903）以及为克兰斯顿小姐设计的四间茶室（1897—1904）（图29），外加基尔马科姆的风中山房[Windyhill]（1900—1901），都显示了他不仅仅想要创造一个崭新的建筑概念体系，而且同时，他在尝试将建筑的外部造型和内部装饰统一成整体。如果麦金托什将他的实验仅仅局限在建筑领域，尤其是不对称体块和开窗法的新奇探索，那他就不会遭到后来那么多英格兰评论家的厌恶了（当然，也有一些是苏格兰评论家）。他对建筑界本身的贡献是被肯定的，尤其是他创立了一套在断面和非断面间不断转换的建筑元素，具有极为独特的美学价值。但是他所选用的装饰性建筑语言，却被认为难以让人接受。

今天，当我们再次审视麦金托什存留下来的室内设计作品以及那些没来得及实现的效果图时，会对当年人们无比认真的愤怒反应感到难以理解。确实，他的某些装饰图案看起来古怪且令人不安，尤其是他用来装饰雕刻饰带和板式家具的那些看起来像女鬼一般的瘦长少女形象（就因为反复运用这类图案，麦金托什和他的三个格拉斯哥同事也被人们称作“幽魂派”），但是他作品里干净挺括的垂直线条以及室内空间的利落接合，与欧洲大陆所流行的曲线轮廓和菱格编织纹截然不同，然而对此，他似乎从来没有得到过他应享有的礼遇。

18世纪末被西班牙夺去了独立主权的加泰罗尼亚，到了19世纪70年代掀起了一场文化和政治意义上的民族主义复兴热潮。独立派运动阵营的先锋中，有一群来自巴塞罗那的杰出建筑师，其中包括路易斯·多梅内赤·伊蒙塔内[Lluis Doménech i Montaner]和何赛·普伊格·卡达法尔奇[José Puig i Cadafalch]。他们在自己的建筑作品中，以推翻历史风格的方式反抗西班牙人的统治。

在追寻加泰罗尼亚风格新建筑的路途中，现代主义逐渐萌发成形，一种被称作新摩尔式建筑[neo-Mudéjar]的地域性建筑风格诞生了。这种建筑风格运用了摩尔人的装饰形式和传统技法，例如在砖砌建筑表面平铺出鲜明的图案等。1904年，普伊格曾经这么评论当时的建筑改革：

> 这是一种基于我们传统形式的现代艺术，新材料的美妙性能使它们如虎添翼，以一种民族主义的精神寻求到了能够解决今天问题的方法。我们向其中注入了一种来自中世纪传统的装饰性活力，与之相随的是摩尔人的风情以及一种朦胧的东方质感。这是由一个个思想独立且目光远大的创新者，与他们保守的前辈一起，共同完成的集体事业——一项大师和学徒们的联手杰作。而所有这一切，都在一股文学、社会和历史的复兴浪潮中被向前推进着。

直到今天，我们依然无法对世纪之交的加泰罗尼亚建筑进行简单粗暴地分类或贴上标签，就如同对待他们那个才华横溢又光芒四射的建筑大师安东尼·高迪[Antondi Gaudí i Cornet]一样。高迪出生在塔拉戈纳的雷乌斯集市城镇附近，来自一个贫穷的底层家庭。但他在建筑方面的才华可谓一鸣惊人，从实践的最开始，高迪就尝试将新哥特风格和现代主义风格相融合。一直到1900年建造卡尔维特之家[Casa Calvet]（1898—1904）时，高迪显示出一种专心致志，开始全力探索一条能够融合灵巧的建筑结构和炫目的装饰效果的道路。他的建筑结构带有一种冷静的逻辑性，常常体现在建筑内部独特的支撑架构上，然而他总是用缤纷的建筑色彩和狂野的装饰效果将它们全部隐藏起来。

高迪真正意义上的新艺术风格建筑，是从1903年开始形成的，然而当时在欧洲其他地方，新艺术的浪潮正在逐渐退去。他最著名的两座建筑，巴特略之家[Casa Batlló]（1904—1906）（图30）和米拉之家[Casa Milà]（1906—1908），将生物般的建筑外立面和连绵起伏的波浪形墙面结合在了一起，展现出一种鲜活的有机质感。这种扭动着的形式不可避免地引燃了争论，而对于反对之声，高迪只有力地回击了一句：自然界并没有直线。他后续的两件作品，桂尔公园[Park Güell]（1900—1914）和科洛尼亚桂尔教堂[chapel Santa Coloma de Cervelló]（1898—1914），继续奠定了高迪作为一个怪异天才的名声，人们传言他的建筑背后，是对宗教信仰和民族主义非同一般的狂热。高迪最为世人所知的建筑作品——圣家族教堂[Sagrada Familia]，更体现出了将高迪建筑作风格归类时的难处。圣家族教堂底部的外立面层次既有现代主义风格，又有自然主义元素，而建筑不断高耸上升的尖塔又从哥特形式中汲取了灵感。

在巴塞罗那，也有许多其他建筑师在建造着新艺术风格的作品，比如多梅内赤，他设计的托马斯之家[Casa Thomas]（1895—1898）、叶奥·莫雷拉之家[Casa Lleó Morera]（1905）和加泰罗尼亚音乐宫[Palau de la Musica Catalana]（1905—1908），都展现出他面对新运动时那种略带节制的自我兴趣。然而，这个时代是彻彻底底属于高迪的。他的同行们当年所做的这些实验，如今看来显得既胆小怯懦又无足轻重。

世纪之交在美国建筑界产生的现代主义趋势，在某些方面和欧洲是保持一致的，然而这种平行对比略微复杂，有时还难以梳理清楚。比如路易斯·沙利文，他的新大楼上所装饰的那种高度密集又繁复华

30. 安东尼·高迪，巴特略之家，巴塞罗那，1904—1906年。

30 ▶

METRO
SYRA

丽的植物纹饰，显然和吉马德、索马鲁卡以及其他欧洲大陆的建筑师风格紧密相关，然而沙利文将它们运用在了经典形式的商业摩天大楼上。这些简单又朴素的建筑结构，并不能被归进新艺术风格中，即使它们的底部几层还覆盖了一排精雕细琢、颜色丰富的浅浮雕叶片。正因如此，这些装饰看起来是完全分离脱节的，正如尼古拉斯·佩夫斯纳[Nikolaus Pevsner]在《现代建筑与设计的源泉》[*The Sources of Modern Architecture and Design*]中，如此评价沙利文的担保大厦[Guaranty Building]（1894—1895）：“这座大楼的工程技术和对于垂直性线条的强调，让它指向了20世纪，但大楼上苦心经营又繁缛复杂的装饰，又将它拉回了新艺术的时代。”

31. 路易斯·沙利文，CPS百货大楼上的铁艺装饰细节，芝加哥，1899—1904年。

同样的批评对于沙利文所作的其他建筑也一样适用，包括温赖特大楼[Wainwright]（圣路易斯，1890—1891）、席勒剧场[Schiller]（1891—1893）、贝亚德大楼[Bayard]（纽约，1897—1898）、芝加哥证券交易所[Chicago Stock Exchange]（1893—1894）以及芝加哥的CPS百货大楼[Carson, Pirie, Scott Department Store]（1899—1904）（图31）。在纹理、图案和色彩的选择方面，沙利文可以被看作是新艺术风格的典型代表；但考虑到他那绝对传统的建筑体量规划，他又不是了。批评家德斯蒙德[H. W. Desmond]曾经针对1904年完工的CPS百货大楼发表过一则恰当的评论，发表在《建筑记录》[Architectural Record]上：

> 让我们说明白点，沙利文先生，是我们唯一的现代主义者。而且他还是我们国家土生土长的第一位美国建筑师。他所发明的风格固然有一点儿过头，但他精心设计演化出了一种高度艺术感的形式，能够使得华丽的装饰语言和美国的钢筋架构建筑达成一种理性的联系……这里展现的是美国本土的新艺术风格，由美国本土的现实问题所孕育……

除了沙利文之外，再没有其他的美国建筑师将自己放在新艺术的语境中思考了。还有一些建筑师，也发展出了令人激动的新建筑形式，比如最著名的弗兰克·劳埃德·赖特[Frank Lloyd Wright]和格林兄弟[Greene & Greene]，他们发展创造出了草原建筑学派和平房风格，但这些作品如今已被视作是艺术与手工艺运动中的一部分了。

第三章 | 家具

19世纪的欧洲家具制造商，尤其是法国的那些制造商们，开始陷入不断重复过往风格的僵局之中。换汤不换药的结果，是常常将18世纪各时期的细木家具匠作[ébéniste]相互混搭。换句话来说，你会发现一只路易十四风格的细木镶嵌五斗柜，下面配着路易十六式的细锥形曲腿，然后又点缀上了路易十五风格的鎏金铜饰包脚[sabot]。这种形式被人们挖苦为"全套路易风格"，评论家强烈抨击这种现象背后的创造力匮乏。比如1867年，巴黎万国博览会国际评委会主管米希尔·舍瓦利尔[Michel Chevalier]就写道："如果从我们这个时代留存下来的历史遗迹来看，未来的历史学家会认为我们是荒诞的一代，一部分活在古希腊传统中，一部分活在文艺复兴，还有一部分活在18世纪波旁王朝，但永远没有我们这个时代自己的生活。"

放眼整个欧洲，这种情况或多或少都是一样的。只有1815年左右，德国和奥地利兴起的比德迈风格[Biedermeier]带来了一段时间短暂的创新，尽管这种风格也明显是一种古典主义的直接翻版。而英国的维多利亚式家具则偏爱繁复的装饰：椅子和桌子都精雕细刻，椅背顶部有透雕图案，抽屉上有装饰雕带，具有一种强烈的东方风情或者西班牙的摩尔式风格。这些桌椅通通被摆放在了四周窒碍难行、密不透风的室内环境里。

建筑师们最早站出来，对这种主流审美趋势发表了自己的不满，他们也为之后的革新变化提供了原始动力。不仅建筑的外立面被装饰上了鞭绳般的有机轮廓线，而且我们可以看到，建筑的内部设计也配套性地发生了改变。建筑师和艺术评论家弗朗西斯·茹尔丹，率先清晰地看

32

到了各行业艺术家齐心协力合作的愿景，他在1899年的《艺术评论》[*La Revue d'art*]中发表了一篇关于现代家具的文章："这是一个让建筑师和艺术家、雕塑家[sculptor]、雕刻家[engraver]、音乐家、学者以及室内设计师一起携手并进的时代，让我们共享同一种视野，树立同样的美学追求和统一的理想。"

就法国人而言，对于新艺术的主要批评，主要集中于认为它侵害了法国家具的骄傲传统。最根本的问题，在于新艺术违反了家具制造的基本守则：也就是说，一件家具必须制作精良，先满足实用功能，只有满足这一点之后才能考虑如何装饰。然而在新艺术发展的鼎盛时期，一件家具可能会完全模仿一棵含苞吐艳的树木；于是家具脚会做成树根，主体框架结构会做成树干和枝条，家具顶部会做成花朵和蓓蕾。如果这

32. 乔治·德·弗尔，在1900年的万国博览会上为宾的展览馆设计并展出的沙发。

还不够，那许多噩梦般的昆虫就会继续涌现，甲壳虫、蜻蜓、小爬虫会变成抽屉把手或者毫无目的的装饰小塑件。纯粹主义者痛骂那些新艺术设计中最丑陋、最堆砌成灾的作品，却忽略了路易·梅杰列、尤金·盖拉德[Eugène Gaillard]和维克多·霍塔创作了一些极为安静的杰作，事实上，这些人的作品相当符合传统家具的标准限定。

幸运的是，并不是所有的评论都是负面的，也并不是所有的新艺术家具设计师都遭到了抨击。评论家雅克[G. M. Jacques]早年曾认为新艺术是一场“恐怖统治”，然而他却在1900年的万国博览会上，发现乔治·德·弗尔[Georges de Feure]（图32）设计的家具十分赏心悦目：

> 德·弗尔的展览，很好地体现出了宾的商店所具备的精神。这不是一个革命家的作品；这不是推翻打倒一切或掀个底朝天，不是铲除合理的过往或消灭几何法则。恰恰相反，这是真正的回归自然，也是第一批创新者们头脑发热过于性急想要摧毁的东西，然而那正暴露了他们的目光短浅。最重要的是，德·弗尔的每一件家具，都是精良、诚实、不做作的细木家具杰作。

在巴黎，宾和迈耶–格拉斐双双将自己的艺术品商店献给了新艺术，也成了这场运动最热心的宣传者。还有一些评论家，尤其是古斯塔夫·苏利耶[Gustave Soulier]，在年度沙龙的媒体报道中大力宣传着新艺术。在盖勒的家乡南锡，也催生了一阵阵鼓吹将自然元素作为装饰的口头宣传和书面宣传。其他的积极参与者还有龚古尔兄弟、罗杰·马克思[Roger Marx]和埃米尔·尼古拉斯[Emile Nicolas]，他们都是出生于洛林地区的艺术评论家。然而在欧洲的其他地区，与新艺术相关的评论就要少得多。那些采访巴黎沙龙和世界博览会的外国评论家们，尤其是为《画室》和《德国艺术与装饰》写评论的撰稿人，正忙着为自己国家的设计师之无能而哀叹，并没有时间精力去对其他国家进行挑刺。

新艺术时代的最大成就之一，是发明了成套家具的概念。1900年之前，家具都是分开单独设计的，然后再乱糟糟地凑在一起，拼出一个19世纪典型的不协调的室内家居。如果想要装饰一个客厅，坐具虽然有可能是成套出售的，但还是得分开搜寻桌子、园艺花架和玻璃陈列柜。没有哪个家庭的室内陈设是有主题地统一起来的——伦敦格林博物馆和纽约大都会博物馆的时代陈列室显示，折中主义就是当时的常规标准。而新艺术提出的整体设计哲学，带来了彻头彻尾的变化。一间房间必须整体规划考虑，因此家居设计师被迫开始思考更多的可能性。

到了1905年，当世纪末运动的光芒开始减弱，逐渐走向式微，人们的生活又回归到平凡乏味的日常之中。中产阶级的生活标准遭遇了一次打击；每个家庭可支配收入的减少，使得人们对大规模生产的廉价家具的需求变大，这对于德国、奥地利和低地国家的设计师们来说，都是一个立即要应对的重大挑战。法国的细木工匠不愿意面对降低了行业标准的繁荣市场，这给了北边邻国的工匠们一个绝佳的机会，让他们立刻长驱直入占领了大片法国家具市场。到了1902年的冬天，辛迪加家具商会[Chambre Syndicate de l’Ameublement]在巴黎的大皇宫举办了第一届家具产业博览交易会[Salon des Industries du Mobilier]，这次博览会抱着三重目标：促进圣安东尼郊区的当地家具产业，改变法国人的品位，与外国家具零售商取得的成绩展开竞争。这次博览会特设了一个低价家具的竞争单元，邀请了全国制造商参加比赛。许多新艺术风格的代表人物都积极响应了，包括马蒂厄·盖勒里[Mathieu Gallerey]、乔治·德·弗尔、亨利·拉宾[Henri Rapin]和西奥多·兰博[Théodore Lambert]。长方形框架上雕着生动花朵的嵌版，代替了五年前流行的华丽铸模和雕塑装饰，人们关注的重点开始发生变化，经济实用变成了新的口号。

33

33. 艾米尔·盖勒，蜻蜓桌，约1898年。

34. 雅克·格鲁伯，镶了蚀刻玻璃装饰的橱柜，约1902年。

34

在法国，新艺术家具的设计和制造被南锡派所统领。令人惊异的是，一个省级城市能够在如此短暂的一段时间内，同时汇聚了那么多家具制造界的天才大师。其中代表人物有：梅杰列、盖勒（图33）、雅克·格鲁伯（图34）、尤金·瓦林以及比他们小一辈的卡米尔·戈捷、亨利·汉姆[Henri Hamm]、路易·艾斯涛[Louis Hestaux]、劳伦特·奈斯[Laurent Neiss]和贾斯汀·费雷斯[Justin Férez]。除了这些人以外，还必须补充一位新艺术风格建筑师，艾米·安德烈，他为了与自己所设计的建筑外部的风格相协调，设计了一系列匠心独运的家具。

南锡派家具设计助理和技术顾问的角色，由无所不能的维克多·普鲁威来担任。还有许多能提供家具辅助材料的其他工匠，包括：阿尔弗雷德·菲诺[Alfred Finot]、厄内思特·比西埃[Ernest Bussière]和厄内思特·魏特曼[Ernest Wittmann]（雕刻装饰）；查尔斯·费德里奇[Charles Fridrich]和费尔南德·库尔泰[Fernand Courteix]（纺织品）；多姆兄弟（玻璃工艺）；以及隆巴尔[Lombard]（皮革工艺）等人。

南锡制造的新艺术风格家具最主要的特征，就是以自然为家具装饰的中心主题。这里的自然，具体来说就是花朵和花的各个组成部分。再没有别的地方像南锡这样，尝试了如此写实性的表达手法。在巴黎，植物通常是抽象化和精炼过的；在德国和奥地利，自然的影响通常被削弱，甚至完全看不见了。

如果要说到制造新艺术家具的大师，那毫无疑问的一位就是路易·梅杰列了。这个论断由当年的评论家指出，而今天经过了时光的洗礼之后，我们能够更清晰地认识到这个说法的正确性。天生具有超强设计感和精湛工艺技巧的梅杰列，既是一位艺术家，又是一位手艺匠人；既是一个设计师，又是一个技术员。他最高产的时期是1898年到1908年，这期间，一件又一件由他制作的品质卓越到让人屏息惊叹的家具作品相继流向市场。历史上几乎再也没有出现过比他在1903年制造的兰花台书桌[aux orchidées]（图35）更为精致细腻的家具作品了。这张书桌用紫心木制成，饰有一对多姆兄弟制造的花冠式玻璃灯罩。同样又瑰丽又优雅的，还有他在1901年展出的落地长钟。梅杰列制造了许多家具杰作，都旨在挑战18世纪细木工匠的作品。然而到了1908年之后，他的出品质量陡然下降。因为工作室投入工业化生产的决定，终结了他精益求精的时代。同样消失的，是他大胆又奢华的睡莲[nénufar]镀金铜雕饰和兰花[orchidée]底座，取而代之的则是一系列面向大众市场的浅浮雕

35

家具。

早在1885年，盖勒就在他的玻璃工坊中增添了一个家具和镶嵌细工工作室，这标志着盖勒商业化运作的开始。一直到1904年他去世后的很长一段时间里，工作室都保持着这个运营模式。1894年，盖勒让他的玻璃工坊和家具工作室接受了工业化改造，允许生产的各个阶段使用机械制造。但日产量的限制让他们只能生产一些小件家具，比如茶几、屏风、小木凳、套几和柱脚桌。一直到19世纪90年代，大件的家具才开始出现，比如西洋博古架、陈列橱窗和完整的成套家具。他在1900年以后的晚期作品各方面要成熟得多，这也提醒了我们，盖勒开始从事家具制造要比他从事玻璃工艺（1874年左右）晚得多，而前者始终没能达到和后者一样的完美水准。他在1904年设计的最后一件家具，黄昏与黎明之

35. 路易·梅杰列，兰花台书桌，1903年。

36

36. 里昂·贝努维尔，沙龙一角，约1902年。

37. 艾贝尔·兰德里，为现代艺术之家设计的椅子，1901年。

38. 赫克托·吉马德，扶手椅，梨木，约1902年。

39. 尤金·盖拉德，客厅陈列柜，与保罗-埃米尔·芒热合作，约1902年。

40. 爱德华·科隆纳，茶几，约1900年。

41. 鲁帕特·卡拉宾，胡桃木桌子的设计稿，曾在国家美术协会展览上展出过配套的椅子坐具，1896年。

37

38

39

40

41

床[Aube et crépuscule bed]，显示了他在临终之前的那段时间正是他一生中家具设计风格转变的关键时刻，正要逐渐迈入一个崭新的阶段。

和南锡不同的是，巴黎并没有属于自己的流派或核心团体。这个城市太大太多元化，根本无法让一个单一的装饰艺术主题统领全城。不过大多数新艺术代表人物都在松散定义的风格区间中活动，沙龙和博览会能让他们接触到时下最新的潮流。只有卡拉宾（图41）和吉马德（图38）两个人，完全偏离了传统的足迹。

当时留下的艺术评论证据显示，大量巴黎的细工木匠曾经不间断或者间歇性地参与到新艺术风格家具的设计中去。这个群体的数目接近50人，这也显示了1895到1905年间，新艺术运动在巴黎遍地开花的盛况。这些设计师中有：尤金·贝尔维尔[Eugène Belville]、阿尔伯特·昂斯特[Albert Angst]、里昂·贝努维尔[Léon Benouville]（图36）、路易·比高克斯[Louis Bigaux]、约瑟夫·波伏里[Joseph Boverie]、鲁帕特·卡拉宾、爱德华·科隆纳[Edouard Colonna]（图40）、乔治·德·弗尔、尤金·盖拉德（图39）、赫克托·吉马德、西奥多·兰博、艾贝尔·兰德里（图37）、乔治·诺瓦克[Georges Nowak]、查尔斯·普罗密特、托尼·塞尔莫舍、皮埃尔·塞尔莫舍[Pierre Selmersheim]、亨利·绍瓦热，以及生产了一系列样式家具的迪欧特商业公司等。

对于以上的很多人来说，一年一度的博览会是展览他们最新作品的绝佳机会。实际上，博览会已经成了一种社交礼仪场合：因为评论家很少会错过战神广场或者大皇宫的展览盛事，而这些评论家公开发表的评论观点，在很大程度上能够决定一件作品是大获成功还是无人问津。对于新艺术家具设计师来说，在努力向上攀爬的过程中，一些关键性展

42. 查尔斯·麦金托什，扶手椅，染色木料和彩色玻璃，约1904年。

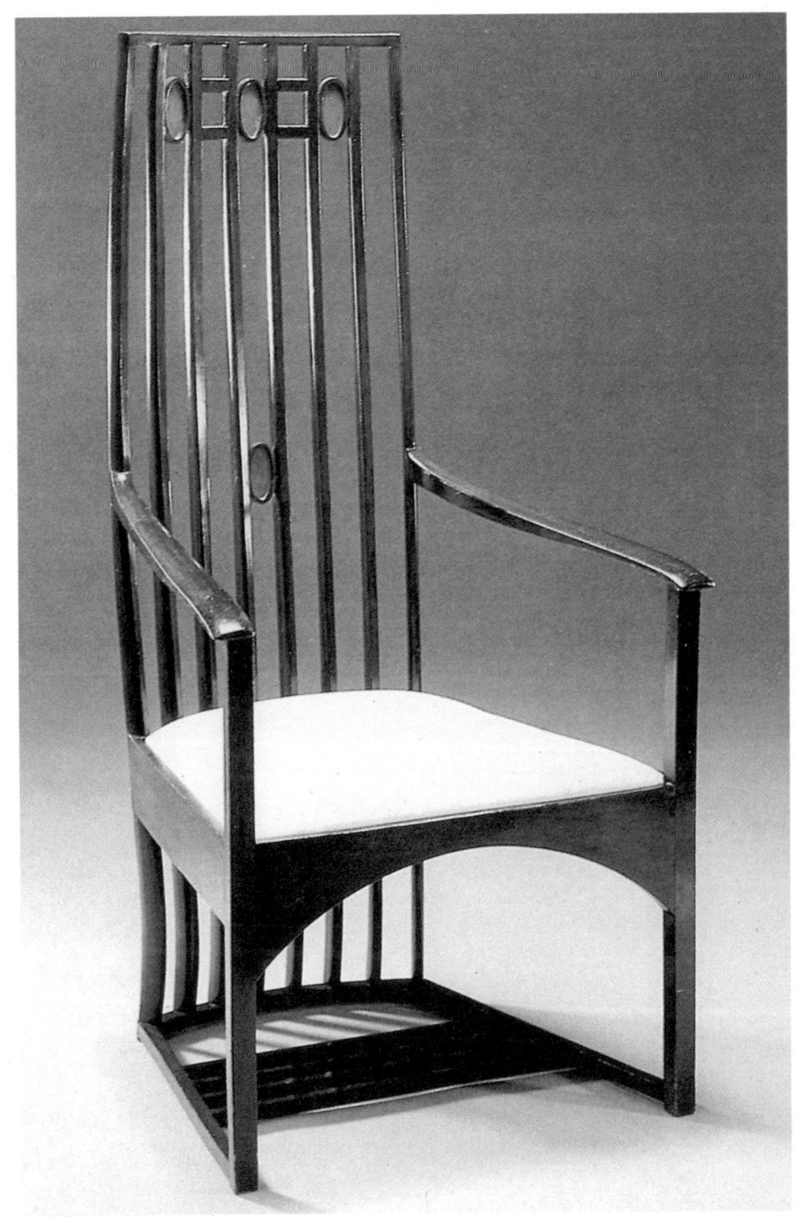

42

43

43. 维克多·霍塔，霍塔设计的碗柜上的青铜把手，20世纪90年代末。

44. 古斯塔夫·赛律耶–博斐，卧室全套家具，约1902年。

览都是他们的重要阶梯，这包括宾的新艺术之家和迈耶–格拉斐的现代艺术之家，万物皆艺术团体[L' Art dans Tout]（之前分别叫五人组和六人组）展览，以及最最重要的1900年的万国博览会。

在布鲁塞尔，新艺术风格的经典家具作品都是由这个城市的建筑师所设计的。如同瓦特雷[J.–G.–G. Watelet]1971年在《古董发现》[*Discovering Antiques*]中所写的那样："这个时期比利时家具的特点就是它们建筑物般的品质，这体现在两个方面。首先，这批家具大多都是为了和某座建筑规划相配套，本身独立价值并不高……其次，这个时期的家具被叫作建筑家具，是因为它们都是建筑师的作品。"三位人物统领了这个领域：霍塔、凡·德·威尔德和赛律耶–博斐，这三位建筑师全都设计过整套室内陈设来和他们的建筑配套。其他值得一提的人物还有保罗·汉卡、乔治·霍比[Georges Hobé]、安东尼·庞培和乔治·莱曼，这些人都曾参与过二十人展。织毯艺术家爱德华·德·格鲁

[Edouard de Grauw]和室内设计师弗朗索瓦·柯尼希[François König]一起，也曾合作设计了新艺术风格的家具。

霍塔主要是一个住宅建筑设计师，所以他必须说服客户，让他们准许他抛却传统，不仅仅在房屋的外形和内部装饰方面，同样也在家具和软装方面采用全新的样式（图43）。他那个人标志性的建筑线条在他的家具中也有所体现，尽管并没有在他的天花板、柱头和水晶吊灯设计中表现得那么自由流畅。霍塔的家具设计是为不同的客户针对性订

44

制的，每一项委任都带来不一样的挑战，他也提供了完全不同的解决方案。他所创作的家具全都不是为商业大批量生产而设计的。

古斯塔夫·赛律耶-博斐是一个家具销售商的长子（图44），他在列日市大学路38号开始了自己的建筑和家具生意。1887年，在他的职业生涯早期，赛律耶-博斐接受了一项大学校内医院的设计委任。这单生意之后，委任接连而来。但一直要到1894年在自由美学会的第一次展览上，当赛律耶-博斐展示了自己设计的手工艺人之房[chambre d'artisan]后，才算正式成为一名室内设计师。这套样品设计已经体现了他日后的作品特征：颜色鲜亮的天花板和墙壁平衡地弥补了家具的风土味与平淡。这些家具将一种乡野的坚固质感和新艺术的甜美曲线完美地融合在了一起。赛律耶-博斐的哲学理念很多年都没变：他认为一个房间的魅力在于它的空间边界，在印花的墙纸、描绘着花朵的窗帘、法恩斯彩陶的烟囱墙砖、镶嵌式的护壁板和彩绘玻璃花窗上。他最喜欢的装饰主题是胡萝卜、伞形花和含羞草，曾用各种材质反复表现过。而他设计的家具表面则简洁去雕饰，无疑是为了避免和五彩斑斓的周围环境相冲突。

亨利·凡·德·威尔德，是以一个成功的印象派画家和点彩画家的身份进入装饰艺术界和建筑界的。凡·德·威尔德在发表自己的观点上从没有胆怯过，他在《现代美学形式》中严厉批判了19世纪的折中主义："过去一个世纪的家具工匠们，在我们的卧室和会客厅中堆积了无数疯狂的蠢物……成群结队的农牧神、天启式的狰狞野兽、令人捧腹的丘比特（有些看起来猥琐下流，而有些看起来谄媚得让人不安），以及肿着两颊的半人半羊萨梯雕像，这些东西占领了整个社会的风潮。"为了纠正这点，凡·德·威尔德只在曲线和空白空间的互动关系上做文章。他早年的家具实验，比如给他自己在于克勒的住宅布罗门维尔夫别墅设计的家具，虽然用了大量流动的线条，但依然有一种中世纪艺术般的理性和凝固感。

1898年第一期《装饰艺术》中，有一篇文章详尽地介绍了一批凡·德·威尔德的早期家具设计：几把装有他自己设计的软织物的椅子、一面用彩绘玻璃装饰的火炉屏、一张梳妆台、一个书架、一张办公桌、一张长沙发上铺有威廉·莫里斯式的印花棉布，以及一系列为宾设计的家具，这些家具设计都显示出了一种低调的新艺术风格的影响。尤其是他设计的椅子腿部，出现了一种打卷的涡形曲线，这在他日后更为成熟的1900年时期的作品中常出现。

德国是19世纪后期第一个直面机器制造和它们带来的产物——大规模化生产的国家。在认识到机器对设计产生的影响之后，或者更精确地说，在认识到机器在装饰方面的局限性，也就是它们根本无法复制一个经验丰富的木雕匠人或镶嵌工人精雕细镂的装饰品之后，许多德国设计师决定放弃采纳当时法国和比利时所流行的浮夸花朵装饰。他们开始另辟蹊径，追求一条不同的道路：德国设计师认为真正实用的设计才是美的定义，而不应该是物品表面的装饰。当时的杂志《室内装饰》[*Innendekoration*]和《艺术与工艺》[*Kunst und Kunsthandwerk*]所发表的作品显示，德国的设计师们并没有像他们的邻国同行那样，给予新艺术风格相应的热情和自发性的投入。实际上，唯一几个例外也走向了无法控制的极端：比如说，由奥古斯特·恩代尔、彼得·贝伦斯和伯恩哈德·潘科克[Bernhard Pankok]设计的少数几件真正的青春风格家具，看起来都显得过分天马行空。如果跟他们在慕尼黑分离派的同行们所做的家具形式比，更是显得混乱而毫无章法。1901年，给《画室》撰稿的评论家说得很对："跟法国家具相比，分离派展览的装饰作品中多了几分清醒的冷静和判断力。"

尽管总体都没有显现出新艺术风格的影响，但还是有几件德国设计师的作品在此值得一提。在巴伐利亚州，理查德·里默施密德

45

46

[Richard Riemerschmid]设计了一系列家具，大多数都是带有新式风格的椅子。它们的样式大多安静又理性，但偶尔也从新艺术风格中借用一些涡形和卷线。在慕尼黑，潘科克也设计了很多略微带有新艺术味道的家具。和他同样的还有赫曼・奥尔布利斯，他的设计稿（连同潘科克和布鲁诺・保罗的作品）通常都交给工艺美术联合作坊[Vereinigte Werkstätte für Kunst im Handwerk]来打造实现。

彼得・贝伦斯（图45）是一位建筑学教授，他培养的学生中还包括大名鼎鼎的三剑客：格罗皮乌斯、凡・德・罗和勒・柯布西耶。贝伦斯设计了一批风格不同寻常的反传统家具，包括为他自己在达姆施塔特

45. 彼得・贝伦斯，餐厅椅子，橡木，1902年。

46. 奥古斯特・恩代尔，扶手椅，1899年。

市的玛蒂尔德高地艺术家村中的住所所设计的家具作品。他的其他一些作品，比如1902年都灵博览会上他为德国馆门厅所设计的那几把椅子，就显示了一种克制的有机感，这些椅子的内敛线条也展现了德国设计师们在拥抱这场短暂又迷狂的法式新运动时，显得多么勉为其难。

其他还有一些设计师对新艺术产生过短暂的激情，其中有奥古斯特·恩代尔（图46），他设计的开放式扶手椅带有雕饰顶角和柱头，让人联想起赫克托·吉马德为贝朗热公寓所做的那些家具；此外还有奥托·艾克曼，他是慕尼黑分离派的成员；达姆施塔特的帕崔·胡贝尔选择了更为严谨一些的艺术与手工艺运动风格；德累斯顿的阿尔宾·穆勒[Albin Müller]，将青春风格的花卉与涡卷纹运用到了黄铜锁眼盖和门铰链上，再搭配以直线形的家具结构。其余在德累斯顿的还有奥托·费舍[Otto Fischer]、约翰·西萨茨[Johann Cissarz]、卡尔·格罗斯教授[Professor Karl Gross]、E.绍特[E. Schaudt]。在杜塞尔多夫，欧德教授[Professor G. Oeder]设计了一系列新艺术风格家具；而在莱比锡城，F.A.舒兹[F. A. Schütz]在他的产品展销图录中也添加了一些类似的现代风格家具。

尽管麦金托什是建筑师出身，但这个苏格兰人今天却被当作一位家具设计师来铭记，或者更准确地说，一位经典设计师椅的创造者。这是很讽刺的一件事，因为麦金托什的家具，最初只是他建筑设计的相应配套设施。家具的全部功用，就是勾勒点亮他所精心设计的室内空间，而在这些装潢过的空间里，他的客户将悠闲度过大把时光。

1896年，麦金托什和乔治·沃尔顿一起合作，为克兰斯顿小姐在格拉斯哥市布坎南大街上的茶室设计了室内装潢。虽然当时年轻的麦金托什依然是沃尔顿的助理，但他的风格和天分打动了克兰斯顿小姐。因而次年，克兰斯顿小姐邀请他为爱盖尔大街上的茶室完成独立设计。在这个重要的项目里，麦金托什第一次施展拳脚包办了建筑和家具设计，并将二者统一结合在了一起。房间内的每一件家具，包括椅子、长靠椅、长凳、牌桌、多米诺茶几以及雨伞架，全部用大胆的线条和方格外形来强调处理。他日后的建筑设计特点在此时已经开始成熟起来。瘦长的梯状椅子背板，或是椭圆的透雕椅背顶（图42），都和他高耸的建筑外立面轮廓线条颇为协调。麦金托什钟爱的家具木料是橡木，他会刷一层清漆来突出橡木丰富的肌理，或者像后来在都灵博览会上所做的那样，将橡木材料进行涂白处理。

在1897年之后，麦金托什的私人委任项目就开始激增了。有1900年的英格拉姆街茶室和中央大道公寓；1901年威斯特的皇后宫；1902年维也纳的魏恩多夫音乐沙龙、海伦斯堡的山房[the Hill House]；1903年的山中小屋[Hous’ Hill]；1904年的柳之茶室[the Willow Tea-Rooms]。在这些项目中，麦金托什设计了多达400多件的日用物品，包括椅子、刀具和调味瓶等，每一件都精致而复杂。

同样也是在格拉斯哥，有一家怀利洛克黑德[Wylie & Lochhead]公司，面向中产阶级生产制造了大量的家具。他们的家具设计风格被认为介于新艺术和艺术与手工艺运动这两者之间，事实上，他们也确实同时从这两种风格中汲取灵感。怀利与洛克黑德公司设计的公寓，被恩斯特・阿奇伯德・泰勒、乔治・洛根[George Logan]和约翰・艾德尼[John Ednie]所学习模仿。另外两个需要提及的格拉斯哥设计师，赫伯特・麦克内尔和乔治・沃尔顿也创造了一小批现代主义的家具，但他们不可避免地感到被麦金托什的光芒所掩盖，最后在1898年离开了格拉斯哥。

在英格兰，威廉・莫里斯的学徒们并没有像格拉斯哥派和维也纳派那样，将他的理论学说自然而然地进化成世纪之交的现代主义。1900年前后的英国家具工匠们，始终坚守着用时下最流行的艺术与手工艺运动纹样改良后的18世纪家具样式。没有任何一个伦敦的艺术家与设计师，尝试去革新根深蒂固的伯吉斯式或莫里斯式家具设计，包括那些在其他新艺术设计领域中表现得非凡又杰出的佼佼者，如阿什比和沃赛之类的。事实上他们设计的家具，跟于工艺行会[Guild of Handicraft]和艺术工人行会[Art Worker’s Guild]在19世纪90年代制造的成品并没什么太大差别。马克莫多早年设计的椅子和橱柜，曾以其自由的形式和植物纹饰代表英国人参与影响了欧洲的新艺术运动发展，但他之后，再也没有找到类似的继承者。

维也纳分离派从麦金托什的建筑和家具设计中汲取灵感，奠定了起步风格。虽然格拉斯哥派纤长的线条风格受到了追捧，但他们沉重的装饰图像却并不被分离派所喜爱。那些符号化的玫瑰和纤细的少女，被替换成了分离派自发性的朴素而淡雅的装饰。

引领整个奥地利寻找一种新的民族性装饰特色的人物，是约瑟夫·霍夫曼。霍夫曼从1903年起，就将自己的家具设计稿交给曲木家具制造商科恩托内工坊[Kohn and Thonet]来制作实现。霍夫曼早年的设计曾经发表在一篇1901年的文章中，叫作《简约家具》，展现了麦金托什对他产生的影响。但渐渐的，霍夫曼所提倡的实用主义压倒性地取代了麦金托什的审美主义。李维塔斯[A.S. Levetus]在1906年这么评论过霍夫曼的家具："实用性是首要的条件，但最简单的物品未必就是不美丽的。真正的价值并不仅仅在于材料，而是在于正确地思考运用材料，再将这种思考传达给其他所有人的头脑……"

霍夫曼最重要的两项室内设计任务，也催生了他最出色的一些家具设计。第一项是维也纳附近的普克斯多夫疗养院，在1904至1905年间完成，霍夫曼为此配套设计了一系列样式不同却十分优雅的无扶手椅和餐椅，都有着椭圆形的透雕靠背与靠板。另一项是1907年的蝙蝠歌厅[Kabarett Fledermaus]，蝙蝠歌厅是维也纳一个时髦的约会社交场所。在这个项目中，霍夫曼的设计呈现出令人耳目一新的整洁清爽，实用性很强的桌子和椅子被刷上了简洁的黑白两色，结构联连结处以球体装饰（图49）。这座戏院以奥斯卡·柯克西卡[Oskar Kokoschka]的《斑点

47

48

鸡蛋》作为开幕戏剧，但很快学设计的学生们蜂拥而入进行参观，数量远远超过了戏剧爱好者。这批椅子也成了20世纪最经典的设计。

和霍夫曼走得很近的科罗曼·莫塞尔（图47），是一个由艺术家转变而成的设计师。他的家具也大多交给科恩工坊制作，包括一整套由镶铜红木和梧桐木制作的客厅家具，以及包铝脚的白色榉木椅子。但莫塞尔设计的小摆件，比如他的阶梯式方形金属植物架和烛台，就与霍夫曼的作品无法明显区分开来。其他在家具设计中，采用维也纳工坊品牌式的现代主义风格的设计师还有奥托·瓦格纳（图48）、约瑟夫·奥布里和阿尔道夫·卢斯。

安东尼·高迪的家具设计，被他的建筑室内风格所限制。虽然这

47. 科罗曼·莫塞尔，扶手椅，红木、枫木与珍珠母贝，1904年。
48. 奥托·瓦格纳，椅子，弯曲榉木、胶合板与铝，约1903年。
49. 约瑟夫·霍夫曼，为蝙蝠歌厅设计的椅子，1907年。

49

50

些家具大部分都是粗制打磨的橡木，但都烙上了高迪天才性的特质。就在1878年，也是高迪遇见他未来的赞助人尤西比奥·桂尔·巴西盖卢比[Eusebio Güelly Bacigalupi]的那一年，他创作了他的第一件家具：一张送给自己的桌子。这是一张奇怪的巴洛克结构桌子，带有弧形柜和一对基座抽屉，底下是细长的纺锤形桌腿，这预示着高迪未来将在打破传统的道路上一往无前。

高迪在建筑方面的天赋为他带来了数量可观的委托项目。1885年，他开始在巴塞罗那的康达阿萨托街上为桂尔设计住宅。这个住宅中

50. 安东尼·高迪，卡尔维特之家中的橡木长椅，1898—1904年。

51. 贾思帕·霍马，双人床和床边柜，桃花心木镶板，约1904年。

的家具包括了一张梳妆台和一张肾形的躺椅，躺椅铺上了簇绒坐垫，据说是由鹦鹉螺壳的横截面所带来的灵感，这两件家具都无法轻而易举地进行风格归类。还有一张带有软垫扶手的座椅，扶手尽头是雕龙装饰，这显示了高迪也曾坚守了一段时间的传统家具设计理念；一直要到1898年，高迪开始设计卡尔维特之家时，才彻底与传统决裂。为卡尔维特之家做的橡木椅子和橡木长凳带有盾形的靠背，上面透雕着三叶草纹饰（图50）。这些家具形式不羁，有一种吉马德式的傲慢大胆，又有一种麦金托什式的无所顾忌，做工看起来十分质朴。高迪同年为科洛尼亚桂尔教堂做的祷告台，也同样是视觉性设计和精密木工的结合。1906年高迪为巴特略之家做了设计。巴特略之家的椅子，在卡尔维特之家椅子模型的基础上，按照不同角度，设计成了两把和七把的组合。

51

除了高迪以外，只有三位加泰罗尼亚设计师制造了新艺术风格的家具，分别是：安烈杰·克莱佩·普伊格[Alejo Clapés Puig]、贾思帕·霍马[Gaspar Homar]（图51）和胡安·布斯克茨[Juan Busquets]。

和西班牙一样，意大利新艺术风格家具也是一人独领风骚，他就是卡洛·布加迪[Carlo Bugatti]。1903年，布加迪被评论家马克西姆·勒罗伊[Maxime LeRoy]描述成“一个独来独往的天才，他对于稀奇古怪物品的创造天赋扰乱了风格分类法”。事实上布加迪对于新艺术的表现形式确实是独一无二的（图53），他用一种摩尔式建筑风格的手法，在家具表面画满了日本竹笋和其他带有异国情调的细节，看起来十分不可思议。他用仿阿拉伯建筑式的尖塔，齿状饰带以及细长的走廊

52

52. 卡洛·泽恩，书桌，木材嵌珍珠母贝和镀金装饰，约1905年。

53

53. 卡洛 · 布加迪，镜子，椴木镶嵌，约1900年。

形式勾勒出了家具的轮廓，这些轮廓通常被设计成圆形或者具有圆形元素的弧圈和弦线状。在布加迪木质家具的框架结构上，经常覆着一层麂皮，周围用金属凸纹镶板包边，或者镶上一层雕有昆虫样纹饰和伊斯兰书法的锡铜贴片。垂挂的单个流苏或者成排的穗子，更是给这些家具增添了一种戏剧性效果。评论家们面对布加迪作品时的反应，不是困惑迷茫就是激动万分，再不然就是勃然大怒。

布加迪为都灵博览会准备的家具作品却和他早年的创造非常不同。四间参展的成套样品房中有一间"蜗牛室"，尤其突出了他最新一批家具作品惊人的现代感：一块不间断的连贯平面，从圆形的镂空椅子靠背开始向下延展，经过短小的椅子脚后又上扬滑向了圆形的平面座椅，这把椅子象征着一只倒扣过来的蜗牛。浅米色的羊皮纸包裹着椅子表面，第一眼看上去仿佛是塑料材质，给人留下了一种这把椅子是注塑成型制品的错觉，但事实上这种工艺要到50年之后才逐渐成熟。

没有其他的意大利人能够与布加迪的另类天赋相匹敌。布加迪的一个米兰朋友欧金尼奥·夸尔蒂[Eugenio Quarti]，在巴黎的涡形样式基础上，采用了一种内敛的新艺术风格来做家具设计。还有一个家具匠人卡洛·泽恩[Carlo Zen]（图52），在当时的博览会上，展出过自己绚丽且充满了曲线美的新艺术式家具。

尽管美国的艺术家和工匠们在新艺术运动的很多领域中都做出了杰出贡献，尤其是在玻璃和瓷器方面，但美国的家具设计师们却从来没有对这个运动产生过兴趣，这是新艺术短暂的历史遗留给我们的谜题之一。

第四章｜绘画与平面艺术

由于新艺术对于美术的影响比较模糊，并且大多都是外围性的陶染，所以相比其他领域都要更难定义一些。这场运动很大程度上革新的是设计方式而不是绘画本身，因此相比于二维平面，它更适宜用具有可塑性的材料来表现。不过新艺术风格中很多重要元素，早在实用美术开始采纳之前，就以各种方式在画布和纸面上提前出现了，比如简洁的形象、扁平的空间、波浪线条带来的情感迸发以及对象征主义的情有独钟。新艺术画派实际上是一个并不存在的概念（并且大多数艺术史学家都这么认为），但这场运动发展得如此声势浩大，致使很大一群在19世纪90年代步入事业成熟期的艺术家都曾受到了明显的影响，不管这些艺术家的作品最终看起来呈现出了怎样的面貌。

19世纪80年代早期，印象派面临着来自多个团体的挑战。这些团体都以行动反对传统的视错觉形式，直面被瓦解之后的平面和线条，并且个个都渴望成为最新的先锋派。其中的两个新团体，布鲁塞尔的二十人展和巴黎的独立艺术家协会，均对后印象派[Post-Impressionist]的绘画产生了巨大的影响。所有19世纪末20世纪初的重要绘画流派，包括象征主义、英国的拉斐尔前派、德国的表现主义、纳比派和野兽派，都在法国人的引领之下，开始采用新艺术艺术家也使用的那些空间、色彩、图像和构图元素。然而总体来说，新艺术运动的绘画水平远远比不上这些流派的作品——虽然它们极具装饰效果，但常常缺乏思想内容。不过，对这个时期一些杰出艺术家和流派的梳理能够帮助我们看清，新艺术运动中的某一个或多个流行趋势是如何影响了当时其他所有激进的艺术家。无论这些艺术家的个人风格偏好为何，智识取向又为何，都曾被新艺术风格所感染。

保罗·高更[Paul Gauguin]就是一个很好的例子（图54）。1888年从马提尼克回来之后，高更定居在布列塔尼半岛的阿旺桥，在这里他可以远离巴黎的纷扰繁华，离群索居，专心致志地工作。高更相信，一个人的观念和情感体验，可以在画布上用色彩和线条相应地表达出来。这种观点引出的绘画风格，从1890年开始被称为象征主义。象征主义风格中，显然有很多新艺术运动的重要组成部分：尤其是大胆的抽象轮廓，以及被完全抛弃了的天然色与色彩调和。高更还放弃了透视，他在构图上削减了画面的深度，直至整体看起来呈一个平面，然后在这个平面上用富有韵律性的图案作画，这一切都让我们又一次想起了日本主义热潮对这个时期欧洲艺术曾产生的全面影响。高更采用这些手法剥离了物品本身的定义，让它们在二维层面中表现出纯粹的装饰价值。随后，

54

55

埃米尔·贝尔纳[Emile Bernard]和保罗·塞吕西耶[Paul Sérusier]也相继加入了高更的队伍，他们都认为艺术的目的是“一个想法的演进，并且不用说出口”。

回过头来说，塞吕西耶是一个自称为纳比派（意为“先知”）的团体发起人。这个团体中一开始有丹尼斯[Denis]、博纳尔

54. 保罗·高更，《你在嫉妒什么？》，布面油画，1892年。

55. 保罗·兰森和弗朗斯·兰森，屏风，印花丝绸，约1892年。

[Bonnard]、伊贝尔斯[Ibels]和兰森[Ranson]（图55），随后维亚尔[Vuillard]、鲁塞尔[Roussel]、塞甘[Séguin]和瓦洛东也加入进来。丹尼斯曾经这么描述过纳比派的目标："一幅画，在成为一匹战马、一具女人裸体和一段趣闻轶事之前，首先是一块由排成不同顺序的颜料所覆盖的平面。"将平面性置于首要位置的想法，让纳比派得以突破画家常用的油画布，把目光投向其他二维媒介。他们的创作有屏风、彩绘玻璃花窗、海报、马赛克镶嵌画以及舞台布景，其中很多实物都由阿旺桥画家村的工匠制作实现。纳比派这段融会贯通了美术与工艺美术的历史，在1923年曾由前成员让·维可德[Jan Verkade]回忆过："大约在1890年初，一些战争口号从一个画室传到了另一个画室。消灭架上绘画！打倒这些无用的东西！绘画不该扼杀自由，不能和其他艺术形式区分对待……世界上并没有绘画，世界上只有装饰。"于是在这里我们又一次看到，新艺术运动的理念基石被又一个团体热切地拥抱着——去创造一个整体的艺术环境。

在奥迪隆·雷东[Odilon Redon]的画中，也显露出与某些新艺术风格的共鸣。雷东和象征主义诗人关系非常亲密，并且和他们一样，经常从梦境中寻找灵感。他的画面往往取自于幻想与现实的交界处。为了得到理想的对比效果，雷东在画面中引进了黑色，将之作为一种主要色调，并且采用清晰勾勒轮廓线的方式在构图中突出各种形象。

在另一位重要的点彩派画家乔治·修拉[Georges Seurat]的画中，新艺术的影响看起来更为隐晦一些。修拉曾在1884年的独立沙龙展中展览过他的名作《洗浴者》。修拉在画面中运用的线条构成让观众清晰地意识到线与线之间刻意的堆叠，这恰和印象派形成对比，因为后者追求的是视觉效果的逼真感。或许在新艺术运动的语境下，更直接也更重要的是修拉对三个年轻比利时艺术家的影响，他们是二十人展中的成员：凡·德·威尔德、莱曼和里斯尔伯格，这三个人后来都为了实用美术而放弃了绘画。相较于另外两人，凡·德·威尔德为新艺术装饰增添了更多的抽象语汇，不管在他各种材质的设计还是在他的文章里。凡·德·威尔德的绘画，经常描绘一些根植于植物生命力的流畅有机体，而背景是一片混沌的空间，他企图唤醒观众一种象征主义的感受，而不仅仅是字面上的单纯响应。

另一位二十人展的展览成员，荷兰人扬·托罗普[Jan Toorop]，是印象主义诗人莫里斯·梅特林克[Maurice Maeterlinck]的好友。诗人激发了托罗普的艺术灵感，于是他也逐渐开始创作象征主义风格的作品。托罗普创作于19世纪90年代的早期绘画《三个新娘》，映射出一种悲伤神秘的情绪，具有复杂的文学隐喻性。但今天看来，这些作品显得过于阴森幽怨和多愁善感了，放在新艺术的大背景中来看不及他所描绘的那些更为真诚的女性形象。比如在《天鹅与少女》（1892）中，托罗普采用了一系列颤抖卷曲的线条来刻画少女的长发，最后将之节奏性地变成一系列具有丰富装饰意味的平行线条。托罗普在印度尼西亚长大，也就是当时的荷属东印度群岛，因此在托罗普的晚期成熟风格中，还受到了爪哇蜡染印花布和皮影戏的影响。

另一位荷兰艺术家杨·托恩-普里克[Jan Thorn-Prikker]也创作了一系列相似的绘画（图56）。但他的关注点在于宗教性的象征主义，比如他的《新娘》（1892），清晰的字面定义为潇洒曲线和包络形状构成的图案图像做了让步。

19世纪80年代到90年代之间，英国风格对比利时画家与荷兰画家的影响非常大，一部分原因是因为自二十人展开幕以来，惠斯勒和比亚兹莱等艺术家就经常被邀请参展。除此之外，拉斐尔前派成员爱德华·伯恩-琼斯作品中精细的平面设计和绘画主题也造成了广泛的影响，他常用柔和的色彩塑造表现年轻女性，她们看起来温柔而多情，不时面露愁容或作沉思状。伯恩-琼斯以及法国象征主义艺术家

56

57

56. 杨・托恩–普里克，《新娘》，布面油画，1892年。

57. 爱德华・蒙克，《呐喊》，板上油画，1893年。

古斯塔夫·莫罗[Gustave Moreau]，都对比利时画家费迪南·克诺夫[Ferdinand Khnopff]的作品产生了巨大影响。克诺夫是英国裔，但迅速成长为比利时最前沿的象征主义画家。和托罗普一样，克诺夫也与诗人梅特林克相往来，他的画中会经常出现梅特林克诗句中的画面。

如果在1900年的维也纳谈及新艺术运动，有一位当世的艺术家绝对值得夸耀，那就是古斯塔夫·克林姆特（图59），他简直就是维也纳新艺术画家的精华。显然再也没有其他画家的作品，能比克林姆特更深谙这场运动的精粹，克林姆特的作品中大量采用了和这场运动相关的典型元素：平面性的装饰、流动的曲线、华丽的藻饰、转瞬即逝的美和略带颓废气质并具有象征意义的女性形象。克林姆特最为人所熟知的是他那些带有寓言意味的肖像画，通常表现的是一些置于奢华质感背景中的娇媚撩人的年轻女人。他对于贴嵌工艺，尤其是画面中闪光亮片的运用，可能源自拜占庭马赛克镶嵌画带来的灵感，从某种层面来说也是今天拼贴艺术的早期先例。和纳比派一样，克林姆特也经常从画布创作转移到其他平面，他在1900到1903年间曾经为维也纳大学的三位教工画过大型壁画，但这些壁画在揭幕时遭到了严厉的批评，因为画中充满了激进的象征符号。他的风景和花卉画，常以一种眼花缭乱的紧凑线条来构成图像，将写实性元素和自由发挥的几何纹装饰混搭在一起。

挪威的爱德华·蒙克[Edvard Munch]，或许是采用新艺术风格创作的画家中最具有天赋和智慧的。他在1889年曾表达过他的哲学理念，看起来像是敏感精准地洞悉生活之艰难后，轻描淡写的一种说法："不应该再去画那些人们读书、妇女编织的室内场景了。绘画应该表现活生生的人，他们呼吸着，感受着，煎熬着，相爱着。"蒙克的绘画传达了一种世纪末运动中普遍的悲观主义，还带有极少量的描述性或叙事性元素。评论家彼得·赛尔兹[Peter Selz]曾这样描述蒙克最著名的作品《呐喊》（图57）所带来的冲击（1893）：

> 一个扭动的人物出现在画面上，他扭曲的体态，通过背景中蜿蜒的河岸线条和天空中同样富有节奏感的云朵得到了反复强调。这些曲线，和画面想象空间中一道笔直切过的斜对角线形成了鲜明对比，显得格外突出。中间人物看似发出的那一声呐喊回荡在整个背景中，就如同一颗石子投在水面上所形成的一圈圈涟漪。蒙克所画的可以说是声波，而这些线条让人物形象和背景环境融合在一起，共同传达了一种焦虑，这种焦虑是所有观者在看到画面的第一瞬间就能被迅速唤起的。

显然，除了蒙克之外，再也没有其他的新艺术画家将这场运动中最核心的主题——至关重要的线条，传达得如此富有思想冲击力了。在蒙克的画笔之下，线，成了一种表达心理深层状态的真诚方式。

平面艺术

新艺术在各个平面艺术领域的分支中所取得的成就，都要远远超过绘画领域，包括海报、木版画、插画书和字体设计等。尤其是在海报设计方面的贡献，可以称得上轰动一时。

19世纪80年代，新艺术的形式语言开始逐渐发展成形。新艺术风格在海报设计界找到了独有的表达方式，正如同这种风格在其他领域中也有所表现。但必须一提的是，新艺术风格的某些形式语言正是来源于海报设计，因为其本身就是海报中一些长久存在的特点。因而新艺术运动和海报设计界既有相互独立性，又有一种天然的依存关系，而二者显然都同时受惠于一个更早的潮流：日本木版画。

海报艺术和绘画相比，有一个极大的不同点，就是海报需要和周围环境在视觉上形成强烈对比，好比在街上看到广告牌时，需要抓眼效果的惊鸿一瞥。因此，海报需要亮眼的图像和又大又简洁的文字信息。为了尽最大可能突出视觉冲击力，制作一张海报使用的特殊艺术手法包括强烈的和谐色调、动感的线条节奏、剪影式的图像，以及将文字融入整体构图的精妙设计。

在法国，海报艺术的崛起大约发生在19世纪80年代后期，主要归功于一个人，朱尔·谢雷[Jules Chéret]（图58）。谢雷是这个领域中的先锋，早在1886年他就在巴黎开设了自己的石板印刷工作室。谢雷活跃在新艺术即将到来的时刻，根据记载他制作了不下1000张海报，其中大部分都是为各种商品宣传所作的现代风格海报，包括萨克斯莱恩燃料燃油，乔布卷烟纸和杜本内酒。谢雷对海报媒介的精通手法体现在他动态的字体设计和独立的画面布局上。可惜的是，谢雷创作的海报只有一小部分被保存了下来——当时的海报大多贴在广告牌上，张贴后的一到两个星期就会被撕下来换上新的。

纳比派艺术家们在平面艺术创作领域，采用了和画布创作相同的构图手法：简化的形象，对透视的摒弃，平面性的色彩，非写实性与写实性元素强烈对比并置在一起。到了1890年年中，几乎所有的纳比派成员都开始参与绘本和杂志的插图绘制，或者为巴黎的新兴剧院设计海报，如作品剧场[Théâtre de l'Oeuvre]和木偶剧场[Théâtre des Pantins]。在所有的纳比派成员中，皮埃尔·博纳尔（图62）或许是最具天赋的海报设计师。受日本木版画启发，他作品中的人物经常用剪影来表现，并且经常画在构图的外框边缘处。他于1894年创作的石板印刷作品《法国香槟》，很好地体现了他的石版画作品的整体风貌。

亨利·德·图卢兹-劳特累克[Henri de Toulouse-Lautrec]（图61）曾经和纳比派一起参加过1892年勒巴克布特维尔画廊[Le Barc de Boutteville]的展览，他从纳比派的技巧和意象中吸收了一些元素，再转化成高度个性化的个人平面风格。图卢兹-劳特累克设计过32幅海

58

58. 朱尔·谢雷，《水芙蓉》，为女神游乐厅制作的海报，1893年。

报，大多是为蒙马特高地当红表演明星和娱乐场所设计的：比如卡巴莱歌舞艺人阿里斯蒂德·布吕昂[Aristide Bruant]和伊韦特·吉贝尔[Yvette Guilbert]，再比如卡巴莱歌舞餐厅和音乐剧院，诸如红磨坊之类的场所。这些海报大部分都是经典样式，展现了图卢兹–劳特累克对这种艺术材料基本功能的熟悉与了解。他设计的形象具有强烈的视觉冲击力，大多是二维平面形式的，并且从很远的地方就能清晰看懂。最重要的是，这些图像传达了客户或产品独一无二的个性形象，在必要的地方他还会采用讽刺漫画的手法进行生动刻画。图卢兹–劳特累克将线条的表现力发挥运用到了极致，根据所需效果的不同，他会画出错综复杂的密集纹样，又或稍作调整，用寥寥几笔突出人物的性格或姿态。在他的手中，线条几乎成了一种传情达意的独立载体。

出生在瑞士的特奥菲–亚历山大·斯坦伦[Théophile-Alexandre Steinlen]（图60），是另一个在巴黎响应了新艺术风格号召的成功平面艺术家，尽管他本人从来没有全身心投入过这场运动。他一开始的创作并不是明确的新艺术式线性风格，一直要到他的同僚们，例如图卢兹–劳特累克等人开始对新运动显示出共鸣后，他才开始加入这股浪潮之中。他的设计作品包括为报纸和杂志绘制的海报与插图，发表在《黑猫》[*Le Chat Noire*]和《吉尔·布拉斯插图故事》[*Gil Blas Illustré*]等刊物上。斯坦伦至今最为人所知的是他笔下的那些猫，猫的形象经常会出现在他各式各样的作品里。

阿方斯·穆夏（图63）成了新艺术运动中最享有盛名的海报艺术家，很大程度上也是因为他和莎拉·贝恩哈特[Sarah Bernhardt]的私人交往，他为后者创作了许多幅令人难忘的经典作品。穆夏出生在摩拉维亚南部，那是奥匈帝国的一个斯拉夫语省，他在19世纪90年代中期移居到了巴黎。在那里，他和石板印刷社香槟省人[Champenois]签定了协议。香槟省人很快就将穆夏非同一般的天赋资本化，将他创作的许多

59

59. 古斯塔夫·克林姆特，《朱迪斯与荷罗孚尼》，布面油画，1901年。

60

60. 特奥菲-亚历山大·斯坦伦，《无菌纯牛奶》，海报，1894年。

设计稿都转化成了大幅的海报、菜单、日历以及壁板装饰画[panneaux décoratifs]，这是一种更为矫揉造作的美好时代风格海报。

在商业雇主不停地敦促之下，穆夏在接下来的五年之中创作了数量惊人的作品。贪得无厌的观众们，迫不及待地一次又一次翘首期盼着穆夏最新创作的单幅海报和成套系列海报，其中包括《四季》《四种宝石》《四种艺术》和《四时》等。1902年，为了满足这些热情的观众，穆夏将自己的平面设计整理出版成了两册图书，分别叫《装饰文档》[*Documents décoratifs*]和《装饰形象》[*Figures décoratifs*]。结果这批出

61

61. 亨利·德·图卢兹-劳特累克,《日本座酒馆》, 海报, 1892年。

62

62. 皮埃尔·博纳尔，《法国香槟》，海报，1894年。

63. 阿方斯·穆夏，《摩纳哥蒙特卡洛》，海报，1897年。

MONACO·MONTE-CARLO

Mucha

63

版物却造成了与预期相反的负面后果，不仅导致市面上模仿者抄袭者横生，而且他们千篇一律的刻板仿作让穆夏的风格迅速失去了市场的偏爱。到了1910年，穆夏不得不离开巴黎回到了自己的家乡。

穆夏笔下所刻画的美好时代少女，有着一头令人难以置信的浓密秀发，长长的头发闪着光泽流淌盘绕，占据了整个画面，这事实上是对罗塞蒂笔下的冥府之后普洛塞尔皮娜[Proserpine]的一种浪漫性新阐释。身上佩戴着时髦的珠宝，头顶饰有羽毛的帽子，身后是摇曳的拖地裙摆，这种纯洁又天真的青春少女形象，本身就是处于世纪之交的巴黎

64. 欧仁·格拉塞，《四月》，日历中的一页，1896年。

65. 保罗·贝松，《莉安·德·普热》，女神游乐厅的海报，约1900年。

的拟人化身。这种图像经过其他巴黎平面艺术家之手的塑造，也获得了广泛好评，其中比较出名的有伊曼纽尔·奥拉西[Emmanucl Orazi]（图67）和多才多艺的乔治·德·弗尔（图68）。后者在谢雷的指导下，为百人展[Salon des Cent]、洛伊·富勒[Loïe Fuller]和列日温泉疗养所[Thermes Liégeois]都做了海报设计。

欧仁·格拉塞[Eugène Grasset]（图64）是另一个对新风格做出响应的巴黎平面艺术家，虽然他参与得十分犹豫：他的海报设计和书籍插画都显示出一种明显的英国风格倾向，尤其带有克兰和拉斐尔前派的味道。他的学生保罗·贝松[Paul Berthon]（图65）和他一样，采用了一种比谢雷与穆夏更为简单的风格，并具有叙事性特质。贝松的很多海报作品，都让人联想起了一种中世纪风格的宁静和魅力。

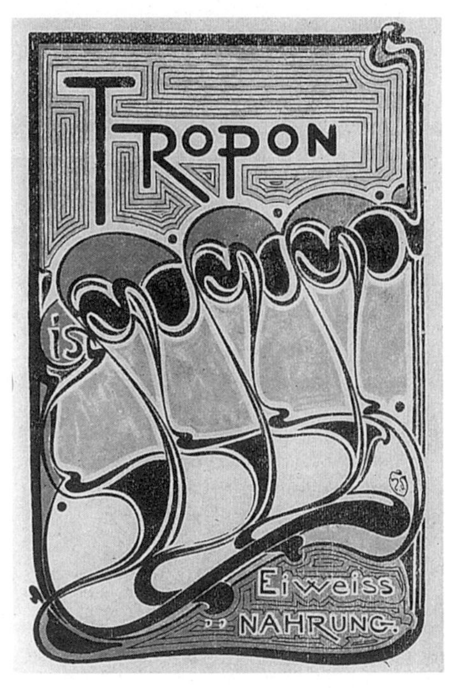

66. 亨利·凡·德·威尔德，《楚朋》，海报，1897年。

66

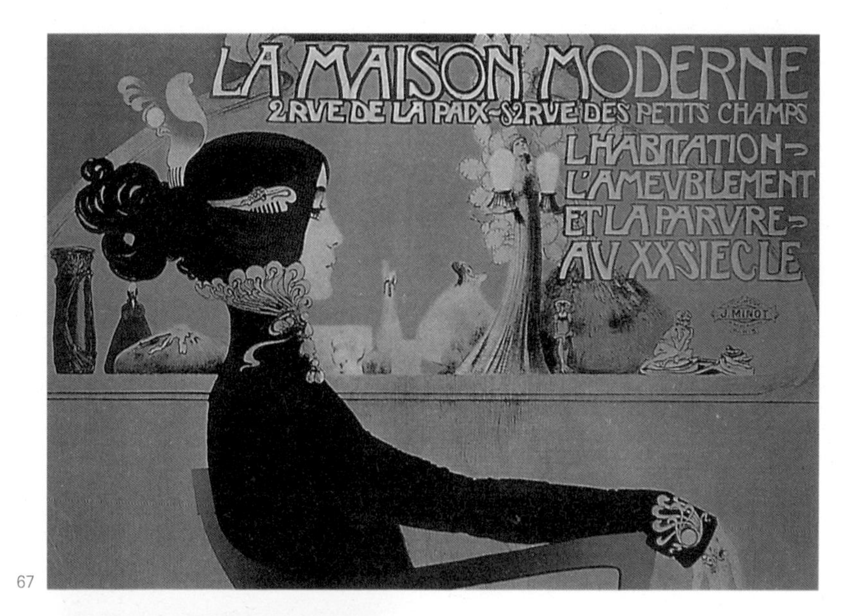

67

68

67. 伊曼纽尔·奥拉西，《现代艺术之家》，约1900—1902年。

68. 乔治·德·弗尔，《时尚女士》，布面油画，1908—1910年。

69. 彼得·贝伦斯，《吻》，海报，1898年。

在布鲁塞尔，凡·德·威尔德提倡的多功能性同样表现在他的书籍插画、字体设计（例如他的首字母系列发表在1893年的《今天和明天》[*Van Nu en Straks*]）以及海报设计中。尤其值得一提的是他1899年为一家食品集中生产商楚朋公司[the Tropon company]所设计的一款海报。这张海报有一组从画面底部向上伸展的重复性抽象线条，与顶部长方形线条构成的迷宫相交，迷宫的中间嵌着一个用标准化字体写就的单词“Tropon”（图66）。这张海报设计的新颖性在于它是纯粹图形式的，没有运用任何一点图画式的元素在其间。

与法国式的新艺术表达风格更为贴近的是一群比利时海报设计师，由普里瓦·利夫蒙[Privat Livemont]（图71）领头，他曾在巴黎接受过绘画训练。利夫蒙也采用了巴黎广告牌上经常出现的那些美好时

70

71

代少女图像，她们全裸或半裸，娇丽的形象十分撩人。但他将这些少女背后的背景画成了形式化的植物，或者让她们躺在自己披散的长发之上。最终画面呈现的效果通常干净、清新、色彩丰富，在他的客户群中非常受欢迎，这些客户大多是商业制造厂商。亨利·默尼耶[Henri Meunier]、阿道夫·克雷斯潘[Adolphe Crespin]和费尔南德·图森特[Fernand Toussaint]也创造了一些类似的法国样式海报，全是迷人可爱的年轻女性，在推销着新的家庭日用品或自行车。

荷兰两位画家托罗普和托恩–普里克，也将海报设计纳入了自己创作的一部分。托罗普在1895年为代尔夫特沙拉油[Delftsche Slaolie]（图70）设计的海报尤其值得一提，这张海报中，姑娘的长发和植物有机体变形成了复杂的线条图案，生机勃勃地铺满了整张海报平面。托恩–普里克的平面设计风格也是二维化的，但装饰性没那么强。他为《实用美术双月刊》[*Revue Bimestrielle pour l'Art Appliqué*]（1896）

和荷兰艺术展览会（1903）设计的海报，展现出他在后来的创作中所追求的那种表现主义风格倾向。

青春风格的海报设计主要出现在慕尼黑。源自比亚兹莱的风格影响可以在马库斯·贝默[Markus Behmer]和托马斯·海涅[Thomas Theodor Heine]的插画作品中发现，他们两个人一起创立了一份讽刺性杂志《傻大哥》[*Simplicissimus*]。1890年，彼得·贝伦斯开始采用一种完全不同的装饰语言，他开始运用简单的形式和大面积的单色色块来传达一种现代主义的效果。他在1898年设计的海报《吻》（图69），是他装饰风格的典型代表，画面中两个简单到近乎古典的侧面轮廓，被封印在浓密缠绕的长发中，这藤蔓般的弯绕发丝将他们拉拢在一起，最终统一了整个画面。贝伦斯在1900年为《生活与艺术盛典》[*Feste des*

70. 扬·托罗普，《代尔夫特沙拉油》，海报，1895年。

71. 普里瓦·利夫蒙，《斯哈尔贝克的艺术圈》，海报，1897年。

72. 马格蕾特·麦当娜，《方片女王》，来自于《四女王》系列，木板油彩石膏，1909年。

72

Lebens und der Kunst]设计的致辞页展现了他另一种装饰风格，那是一种弯弯绕绕的曲线几何样式。此外，奥托·艾克曼、路德维希·冯·霍夫曼[Ludwig von Hoffmann]和奥古斯特·恩代尔，都使用过类似的从植物形式中提炼出来的线性风格。

1897年成立的维也纳分离派，创立了他们自己的先锋杂志《神圣之春》[*Ver Sacrum*]，邀请了许多艺术家和作家参与投稿。这本杂志的版式和字体，都突显了这个新团体标志性的干脆线条质感以及对几何排列装饰的偏爱，同时也清晰展示了麦金托什给他们带来的影响。当其余新艺术形式表达都开始变得陈腐落伍的时候，维也纳分离派平面作品中的这种建筑品质，却能够让他们始终屹立不倒，证明了这种风格足以为现代设计提供一个长远发展的基础。

关于英国艺术家对新艺术运动的整体影响，在之前的章节中已经详细叙述过了。在平面设计领域，这种风格的领跑者包括布莱克、马克莫多、比亚兹莱和克兰。此外，查尔斯·里克茨[Charles Ricketts]和查尔斯·罗宾逊[Charles Robinson]在他们的儿童故事书插图和字体设计试验中，也贡献了一些全新的风格效果。在海报艺术领域，贝格世塔福兄弟[Beggarstaff Brothers]，也就是威廉·尼科尔森[William Nicholson]和詹姆斯·普莱德[James Pryde]两人，他们创作了一些最优秀的英国海报范例，包括为剧院制作的木版画海报（如《堂吉诃德》）、商业产品海报和杂志海报（尤其是《哈泼斯杂志》）。他们简化的图形和大胆的撞色运用，都显示出强烈的日本风格的影响。

在格拉斯哥，马格蕾特·麦当娜（图72）在她的平面设计中，也引入了她早期在金属器和纺织品设计中所采用的相同手法：拉长了的人物形象和用黑白两色呈现的对称几何图形。她还会引入一到两个辅助色彩，比如一朵孤零零的粉红色玫瑰，以此来削弱画面中单色效果造成的强烈视觉冲击。但从1900年，马格蕾特嫁给麦金托什之后，他们俩的作

73. 威廉·布拉德利，《插谱之书》封面，1894年。

73

品风格开始变得难分彼此。而马格蕾特的妹妹弗朗西丝，也开始用同样的风格手法来创作自己的书籍封面与插画。

洁西·M.金[Jessie M. King]也在格拉斯哥受到了相似的教育训练，她为私人出版社设计了一系列书籍插图，比如1904年约翰·兰恩出版社出版的《桂妮薇儿的辩护》[*Defence of Guinevere*]。她的平面艺术风格，包括那些蜘蛛网般的密集线条和错综复杂的点刻细节，都非常适合于创作书籍插图和其他小尺寸的平面作品，如藏书票等，但并不十分适用于海报。

在此时的美国，来自欧洲的影响在各种艺术评论中都开始有迹可循，而威廉·布拉德利[William Bradley]（图73）脱颖而出，成了这个时代美国新艺术风格中最杰出的制图员、插画师和海报设计师。他除了为《芝加哥论坛报》[*Chicago Tribune*]、《回声》[*Echo*]和《内陆印刷业杂志》[*The Inland Printer*]等刊物所作的作品外，布拉德利还自己创办了数份杂志，包括《布拉德利之书》[*Bradley: His Book*]。《布拉德利之书》中，囊括了他自己的插画示范以及大量其他具有现代主义风格倾向的艺术家作品。布拉德利为怀廷公司设计的账簿纸广告中，描绘了一个坐在罂粟花丛中的美好时代少女，她的身后是美丽的自然风景，画面周边镶了一整圈宽阔的叶片状饰带。这件作品看起来是典型的1900年广告样式，和当时法国人以及比利时人制作的类似图像根本无法区分开来。

1883年移民美国的路易斯·约翰·瑞德[Louis John Rhead]，在1894年涉足海报设计领域之前，长期为纽约的书籍装帧师威廉·马修[William Matthews]做书籍装帧设计。（今天瑞德更为著名的另一个身份是陶艺家和瓷器画师。）此外，爱德华·彭菲尔德[Edward Penfield]也设计了许多类似的新艺术风格灵感海报，许多为《哈泼杂志》设计的作品，都带有一种让人不由得联想起斯坦伦[Steinlen]的怀旧风格。

第五章 | 玻璃

1884年，当一场叫作“石头、木头、泥土和玻璃”的展览在巴黎举办时，清晰地显示了巴黎的玻璃艺术界已然掀起了一场革命。最早开始变革的先驱有吕内维尔的尤金·米歇尔[Eugène Michel]和巴黎的尤金·卢梭[Eugène Rousseau]（图74），这两个人各自探索着这种材质的新工艺和新的表达手法。米歇尔和卢梭都开始进行实验，探寻着磨砂哑光、空气混合和内部冰裂等玻璃效果，试图仿制出天然苔玛瑙、水晶和砂金石的质感和肌理。金属氧化物悬浮在玻璃的内部，而玻璃的表面则深深刻凿出了灵感来于大自然的浮雕图案。最初是卢梭徒弟的欧内斯特·列维尔[Ernest Léveillé]（图77），后来成了卢梭的合伙人，他也一直持续探索着这种新奇的自然主义效果。

虽然这种创新形式很有意义，但很快就被艾米尔·盖勒的作品盖过了风头，盖勒从1884年开始，就成了这场革命先锋浪潮的领导者。如果要全面评价盖勒在玻璃艺术方面的成就，将会远远超出本章节的叙述范围，但他所创作的一件又一件作品都有着摄人心魄的美感和巧夺天工的精湛技巧，本身就是其天赋才华的无言声明。他早年对园艺的研究，与他的文学素养、对象征主义诗歌以及其他一系列知识的了解融合在一起，为他的玻璃创作提供了百科全书式的背景储备。在这条路上，盖勒很早就开始实验他父亲用在瓷器表面装饰上的珐琅釉技术，还尝试采用了日本和伊斯兰图像，这是受到了菲利普-约瑟夫·布罗卡尔[Philippe-Joseph Brocard]的启发。在19世纪80年代，布罗卡尔曾经用珐琅水晶复制了一系列波斯清真寺造型的台灯和花瓶。

盖勒受到了评论家的正面鼓励，因为评论家们全都清晰地意识到

74

74. 尤金·卢梭，仿玉石玻璃花器，1884—1885年。

75. 多姆兄弟，罂粟花灯，青铜座嵌玻璃，约1900年。

76. 穆勒兄弟，浮雕玻璃台灯，约1905—1910年。

他的玻璃实验作品具有无与伦比的重要意义。盖勒所设计的玻璃器和他设计的家具受到了完全不同的待遇，因为他过于繁密拥挤的图案曾被视作侵犯了法国18世纪骄傲的家具文化传统，但在玻璃领域中，却并没有这种需要坚守的根深蒂固的传统习俗。在所有评论家中，法国博物馆总监罗杰·马克思[Roger Marx]尤其难抑他对于盖勒作品的热情，在他撰写的年度沙龙展和世界博览会报道中，围绕盖勒的展品总是充满了溢美之词。公众也同样为盖勒神魂颠倒。很快在潮流人士的圈子中，下午茶时间由主人捧出一件南锡玻璃器大师制造的小摆件，成了社交时尚中的必备之物[de rigueur]。

在盖勒的引领之下，玻璃成了一种千变万化的艺术形式。原本静静等着被画上或刻上相应图像的透明无色的材料，现在却变成了一种能够模拟各种动态并拥有无穷混合色彩的介质，同时，它的内部和表层还带有复杂的图像与肌理。盖勒的装饰作品系列，尤其是对大量玻璃的处理手法更是富有创意。各种复杂的工艺，包括玻璃镶嵌细工、夹层玻璃、雕刻玻璃、蚀刻玻璃、锈化玻璃、景泰蓝玻璃、小片玻璃的应用或贴覆，多种手法能够无限混合运用，只为追求最完美的效果。这些工艺步骤太多还需要送进高温火炉中再次热熔，以便施加上新的装饰效果。盖勒的作品中还有许多其他元素，包括他曾在器皿表面装饰上的诗歌华章（因而这些作品也被称作会说话的玻璃），以及他的玻璃欧泊石[verres hyalites]和悲伤之瓶[vases de tristesse]系列，都成了1904年盖勒因白血病溘然长逝之际，玻璃材料史上最全面的创作技法纲要。

盖勒最主要的关注点是自然，自然为他提供了取之不尽、用之不竭的灵感源泉。各种各样不同品种的植物花卉，包括许多阿尔萨斯-洛林一带的本地品种，全都被刻画进了他的作品。有的以整体形象出现，有的仅仅着眼于微观局部，例如花萼、花蕊或者花冠等细节。他还在一

75

76

些奇怪又吓人的动物群体中找到了艺术灵感，包括昆虫世界里的蜻蜓、飞蛾、甲虫和蚂蚁，甚至还有阴郁的海洋世界（图78）以及那些曾被儒勒·凡尔纳在《海底两万里》中浪漫化的海底居民——神秘莫测的海底甲壳动物。

78 ▶

盖勒在玻璃材质方面的创作兼具艺术性与商业性成就，造成了石破天惊的巨大影响，这些成就很快就引起了其他玻璃制造厂商的注意，他们也开始生产类似的艺术玻璃，并或多或少取得了不同程度的成功。其中最为可观的是附近的多姆兄弟的作品，他们于1892年也在南锡开设了作坊。多姆兄弟融合采用了一系列与盖勒相似的工艺和图像，创造了不少美学价值和工艺质量兼备的作品，专门用来投入生产大规模商业化的器物（图75）。他们所采用的轻便固定装置，很多都是与家具设计师

77

77. 欧内斯特·列维尔，冰裂纹酒杯，约1889年。

78. 艾米尔·盖勒，海洋植物标本，装饰玻璃花瓶，约1902年。

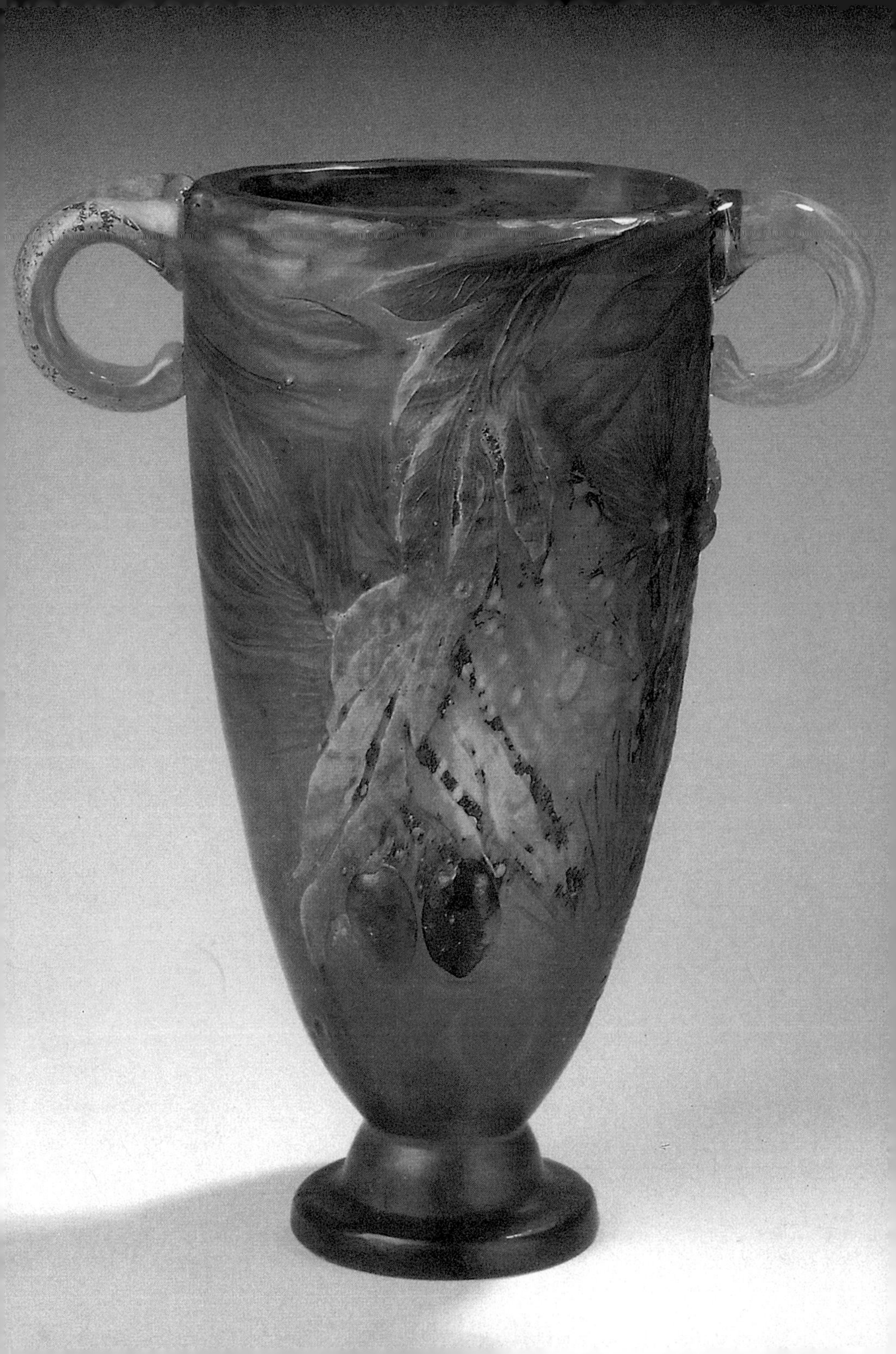

79

路易·梅杰列共同合作制造的，梅杰列为多姆兄弟生产的金属配件，既别出心裁又精致典雅。

在南锡之外，受盖勒启发的模仿者们还有活跃在吕内维尔和克鲁瓦斯马尔（默尔特–摩泽尔省）的穆勒兄弟[Muller frères]（图76），他们制作的器物，在主题和色调上都显示出一种对深秋之景和蔼蔼暮色的特别偏好，这些效果通过他们独特的蚀刻手法得以实现，被称作“霓虹蚀刻法”。另外还值得一提的，是梅桑塔的布尔根施伏尔公司[Burgun, Schverer & Company]（图79）和德西雷·克里斯蒂安[Désiré Christian]的作品（1885年至1903年间，克里斯蒂安是布尔根–施伏尔公司的首席设计师和装饰师）。他们所在的梅桑塔，是坐落于法国阿尔萨斯–洛林北部的一个小镇，在1870年的普法战争后曾被德国吞并。蔻匹丽特公司[H. A. Copillet & Company]的首席设计师，来自（瓦兹

80

79. 布尔根–施伏尔公司，三件镶嵌装饰花瓶，约1900—1905年。

80. 第阿尔让塔，浮雕玻璃铸铁台灯，约1915—1920年。

省）努瓦永的埃迷迪·贡扎[Amédée de Caranza]，也共同创造了一些令人印象深刻的镀金属铱化玻璃制品；（塞纳）圣但尼的雷格拉斯公司[Legras & Company]和法国东北部孚日山区的瓦拉利波尔蒂公司[Vallerysthal & Portieux]，都制造了一些运用雕刻和蚀刻技法生产的玻璃器皿。1890年的巴黎，帕尼耶兄弟[Pannier brothers]为自己的公司水晶之梯[Escalier de Cristal]设计了一批浮雕艺术玻璃，由阿佩尔兄弟[Appert frères]雕刻而成。在比利时，瑟兰默斯河畔的圣兰伯水晶谷[Cristallerie de Val Saint-Lambert]也制造了一批迷人的商业艺术玻璃系列，它们风格相近，在一位巴黎艺术家兼设计师路易·莱昂·勒德鲁[Louis Léon Ledru]的监督下完成。

盖勒的玻璃器在法国还吸引了其他大量的商业模仿者，无论在他生前还是身后。直到1930年，还有一些盖勒样式的工作室在不断开

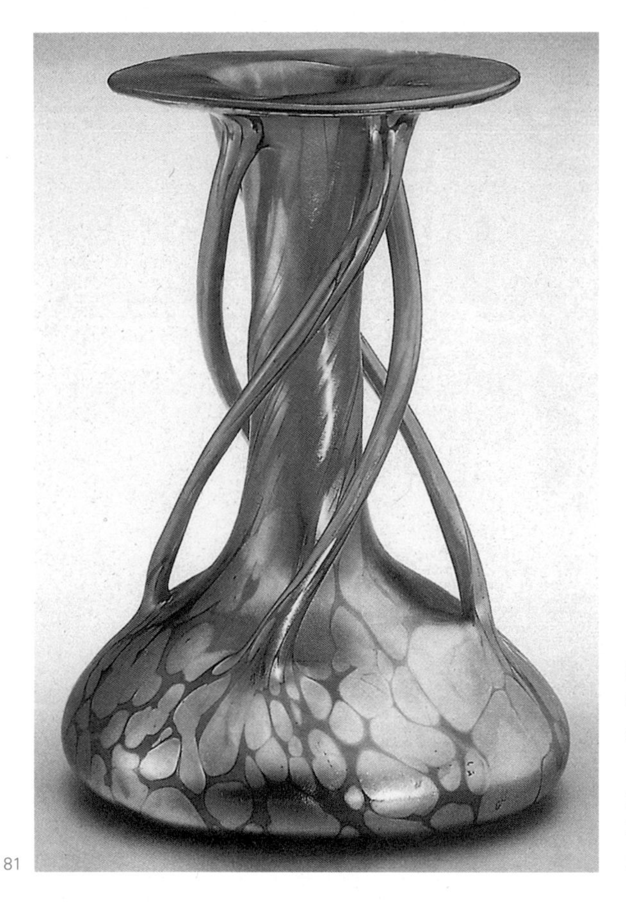
81

81. 约翰·罗伊茨·维特威，带茎干的花瓶，约1900年。

82. 路易斯·蒂凡尼，孔雀花瓶，约1893—1896年。

张，而这仅仅是盖勒自己的水晶工坊关门大吉的前一年。这些玻璃器皿上的图像依旧沿用如初，比如用两到三层色彩反反复复着色呈现的花朵和森林风景，完全不管这些样式是何时创造的。在这个群体里，值得一提的有以下这些：安德烈·德拉特[André Delatte]、第阿尔让塔[d' Argental]（图80）、阿萨与理查德工坊[Arsall and Richard]，这些全都在法国的东北部，地处或靠近洛林地区；巴黎的卡米尔·德·法

82

让[Camille de Varreux]、塞夫勒制造厂[Sèvres manufactory]、路易·达蒙[Louis Damon]和朱尔斯·玛布[Jules Mabut]，以及第戎的让·诺威第[Jean Noverdy]。

一种古老的玻璃工艺脱蜡铸造法[pâte-de-verre]在世纪末运动中被数位法国艺术工匠重新复兴了，他们是亨利·克罗[Henri Cros]、弗朗索瓦-埃米尔·德孔西蒙[François-Emile Décorchemont]和乔治·德斯佩[Georges Despret]，他们的玻璃设计同时从传统主题和现代主题中汲取灵感。在后者的范畴中，有一系列从自然界选取的观察对象，比如甲虫、鱼、昆虫等等，以深浮雕或浅浮雕的铸模手法和极为柔和的色调来表现。一些更为年轻的脱蜡铸造法工匠也保留了这种野外装饰主题，只是他们的整体作品成熟得更晚一些，大约在1910到1920年间才日臻完善。这个范畴中特别需要提及的名字有梅斯莱–莱维当的加布里埃尔·阿吉–卢梭[Gabriel Argy-Rousseau]、布尔日的朱尔–保罗·布拉图[Jules-Paul Brateau]、塞夫勒的阿尔伯–路易·达矛斯[Albert-Louis Dammouse]，以及南锡的亨利·贝杰[Henri Bergé]和阿马立克·华尔特[Amalric Walter]等人。

约翰·罗伊茨·维特威[Johann Loetz Witwe]玻璃工坊，坐落在波西米亚西部的修道院磨坊[Klöstermühle]，他们生产一种带有虹彩金光的玻璃器皿，品质非常高，而且与蒂凡尼的玻璃器看起来十分相像。后者曾在1901年发起诉讼，就为了阻止未经签名标记的罗伊茨器皿进口流入北美市场。在马克思·里特·冯·斯波恩[Max Ritter von Spaun]的艺术指导下，罗伊茨公司生产了大量工业艺术玻璃器，这些器皿甚至本身都成了当地竞争者的模仿对象。这些相继模仿的竞争者有科斯腾的帕尔姆–库尼哈贝尔公司[Pallme-König & Habel]，埃莱奥诺雷海恩的颂恩公司[Wilhelm Kralik Sohn]，努伊维特的哈拉什公司[Gräflich Harrachsche]等。

罗伊茨的玻璃器（图81）主要是由对称的造型、不透明的丰富混合色彩和带有肌理、质感的表面构成。公司完全不生产任何大型的故事类或人物类装饰，他们更喜欢让玻璃这种材质本身的色彩质感和可塑性来定义器物的外表。除了他们标志性的表面闪耀着虹彩光晕的金色玻璃器外，还有一种钴蓝色或绿色做底的器皿，表面喷洒或滴绘上泛着银光的蓝色花案，同样在商业上获得了巨大的成功。另外还有一种夺目的装

83

饰手法，在器皿的瓶体装上藤蔓式的把手或者一些粘花装饰，这些装饰在吹塑的最后阶段，将由玻璃工人用剪刀轻轻夹出一点点褶形的波纹。其他还有一些更为野心勃勃的作品，在成品的最后阶段被铺上了一层电镀银工艺的镂空装饰。

83. 托马斯・韦伯工坊，浮雕玻璃花瓶，19世纪90年代。

一些波西米亚和巴伐利亚地区的玻璃工坊，在1900至1910年间生产的现代主义装饰风格器皿与当地丰富的传统遗产联系更为紧密。而那些真正支持新艺术风格的公司，比如卡尔斯巴德的莫瑟公司[Ludwig Moser & Sohn]和阿道夫的迈耶子侄公司[Meyr's Neffe]，他们在新风格的运用上也时常徘徊不定，时不时跳回传统的样式，采用起历史悠久的装饰技法，例如雕刻和套色法等。其中一个突出的例外，是察恩[E. Zahn]和高佩富特[M. E. Gopfert]开设的布卢门巴赫玻璃制造厂[Glasfabrik Blumenbach]。这座玻璃厂坐落在布卢门巴赫，他们生产一种拉长的透明玻璃花形器皿，表面画上有颜色的花朵和蔓延的茎干。

在德国，利蒙诺玻璃学院[Glasfachschule Limenau]的卡尔・柯平[Karl Koepping]所制作的玻璃工艺品，可以说是青春风格植物样式的全面代表。柯平既是一个化学家，又是玻璃设计师和吹制师，他创作了一系列玻璃杯，拥有纤长的波浪形茎干高脚，让人联想起昔日的维也纳风格。这些玻璃杯既轻巧又优雅，看起来就十分易碎，因而只有极少量的一小部分被保存到了今天。弗里德里希・齐兹曼[Friedrich Zitzmann]最初是柯平的合作者，后来成了他最有力的竞争对手，他在威斯巴登也生产了许多相似的花形器皿。

在形式和灵感上更具有日耳曼传统风格的，是在彼得斯多夫的商业玻璃工坊，彼得斯多夫玻璃坊[Petersdorfer Glashütte Fritz Heckert]的制品由马克思・路德[Max Rude]和路德维格・萨特林[Ludwig Sütterlin]担任其中的设计师。另外有两个工坊，布赫瑙的费迪南・冯・波辛格[Ferdinand von Poschinger]和属地未知的马克西米利安・波蒂尼[Maximilian Boudnik]，他们制造的虹彩玻璃和有机螺纹器皿，都从罗伊茨和帕尔姆-库尼的作品中汲取了灵感。

远在斯堪的纳维亚和俄国的玻璃工坊，从地理到历史都与法国和中欧的发展缺乏联系，关于新运动的声音只能断断续续地传播至此。

比如，瑞典南部斯莫兰的科斯塔[Kosta]和奥利弗水晶玻璃厂[Orrefors Glasbruks]，他们引进了一系列新艺术风格的浮雕艺术玻璃，但要远远晚于欧洲其他所有地区；在奥利弗水晶玻璃厂中，西蒙・盖特[Simon Gate]和爱德华・哈儿德[Edward Hald]曾发起过新形式改革，但这已经是1917年前后发生的事情了。在圣彼得堡，沙俄帝国宫廷玻璃厂[Imperial Russian Court Glass Factory]在1905到1910年间，引进了一条规模非常小的现代雕刻玻璃器生产线。

英国的大部分玻璃工匠对于新艺术运动是抵制的，其他实用美术领域的同行们基本也都和他们持同样的态度。在占领玻璃制造产业中心地位的斯托桥，托马斯韦伯工坊[Thomas Webb & Sons]（图83）和史提芬威廉姆斯[Stevens & Williams]都以一种小心翼翼的手法来表现自然，他们生产了一系列传统样式的浮雕玻璃器，上面以雕刻或蚀刻的手法，表现着僵硬的花叶丛中蝴蝶蜜蜂上下翻飞的装饰图案。相比于着手开展不成熟的风格实验，约翰・诺斯伍德[John Northwood]和乔治・伍铎[George Woodall]的接班人们更喜欢描绘传统神话和其他古典题材。

在大西洋的彼岸，现代玻璃世界由一位艺术家所主宰——路易斯・蒂凡尼[Louis Comfort Tiffany]（图82），而在大部分评论家的眼中，他甚至是彻底垄断了这个行业。和盖勒一样，蒂凡尼在这种材料上所达到的伟大成就，在宽度和广度上都远远超过了新艺术玻璃所具有的视野。和欧洲新艺术运动中的同行们相比，蒂凡尼对于自然的表达显得非常不同：他喜欢用写实性的手法来描绘自然，这和欧洲大陆所流行的风格化、抽象化的手法形成了鲜明对比。但是蒂凡尼对于户外题材具有先见性的参与，以及他旨在为普通家庭提供艺术创造的理想，都明确地将他卷进了这场新运动的浪潮。虽说如此，但在他的职业生涯中，蒂凡尼一直坚持向自己在长岛科罗娜的工作室中引进带有传统美感的器物设计。

比其他所有都关键的一点，是蒂凡尼能够独立进行玻璃制造。也正是他的独立制造加工，将蒂凡尼与其他所有同时代设计师们区分开来，因为大部分人此时还需要依赖于商业玻璃工厂的代加工来制作作品。1893年蒂凡尼在科罗娜开设的玻璃熔炉工坊，为他有效地开拓了玻璃窗制造的新事业，从此他就能和美国国内市场直接对接开展业务。在此之前，他的主要客户只有一个——教堂，教堂向他订制了许多礼拜仪式上用的器物。然而许多教堂的委任（尤其是纪念花窗）都是由会众们筹备订制的，也因而面向整个公众群体开放，教堂不仅是蒂凡尼的主要客户，也成了他接触和吸引其他客户的重要来源。但玻璃熔炉的建成改变了这样的局面，蒂凡尼首先创作了一系列的艺术玻璃，然后通过公司的展厅和遍布全国的零售批发网点，向大众提供了各种各样的其他艺术制品。

用蒂凡尼自己的话来说，对于玻璃新品种的探索占据了他整整30年的时光，到了最后他甚至如此夸耀：“我已经发现了一种避免使用颜料、蚀刻、火烧以及所有其他接触玻璃表面的方法……就能够制造出任何一个色度的有色玻璃。”然而仔细研究了一系列蒂凡尼创作的玻璃器之后（他以“法夫赖尔”之名申请了专利），事实证明，他很大程度上仍旧低估了自己在这个领域所取得的成就。他的工人能够从长柄勺中倒出多达七种颜色混合在一起的液体，创造出一系列令人眼花缭乱的融合色调，其中大多还能做出星点斑驳或肌理深沉的效果，用来模拟大自然千变万化的氛围与色彩。最终成品的玻璃片表层时常有一种虹彩之光，这是在高温加热室中，用雾化的金属蒸汽喷洒在器物表面生成的效果。整个工艺过程赋予了玻璃一种万花筒似的闪亮光泽，这也成了蒂凡尼公司在美国销售的玻璃器最主要的特征。

虽然蒂凡尼为玻璃窗、灯具和花瓶所做的设计，大部分都是写实

84

性的刻画描绘，但他的公司的确也生产了一些令人愉悦的新艺术风格制品，尤其是人工吹制的玻璃器。其中最突出的是一系列花状玻璃器，植物造型的根部、茎干和花瓣被塑造成了一整条细长的有机形状。

84. 弗里德里克·卡德，为斯托本玻璃工坊制作的金花瓶，约1903年。

纽约州科宁市的斯托本玻璃工坊[Steuben Glass Works]，是仅次于蒂凡尼的美国第二大现代艺术玻璃生产商。为了生产水晶和有色玻璃毛坯，斯托本与擅长装饰性切割的托马斯·霍克斯公司[Thomas G. Hawkes & Company]合并，并且以所在的斯托本郡县给他们的新公司命了名。1903年，他们还成功地从著名的英国斯托桥玻璃厂史提芬威廉姆斯挖来了艺术总监弗里德里克·卡德[Frederick Carder]（图84），成功劝说这个英国人跳槽到了斯托本。在卡德的监督指导之下，接下来的30年中，斯托本公司对全线产品做了一系列的工艺技术和艺术效果革新。不过其中的一些产品，比如金蓝配色的金色玻璃系列和网状杯系列，从外形、着色到表面光泽，都与现存的蒂凡尼法夫赖尔玻璃样品有很大程度上的相似性，但是其余的产品大多具有完全独立的创造性（至少在美国是如此）。公司值得一提的产品系列有玻璃丝、泰尔紫、拼花嵌、彩绘酸蚀和失蜡法制造的玻璃器皿。其他在卡德的任期内所引进的新工艺（例如克劳斯拉和辛特拉玻璃），灵感大多来自于19世纪英国玻璃工坊中的新成果，比如克里斯托芬·德雷瑟[Christopher Dresser]为寇培家族工坊[James Couper & Sons]所做的那些设计。

菲利普·汉德尔[Philip Julius Handel]在位于康涅狄格州梅里登市的玻璃工坊中，生产了一系列和蒂凡尼式审美颇为不同的现代灯具。他确实创作过一些蒂凡尼风格的锡线玻璃花卉灯罩，比如紫藤和苹果花系列造型，但汉德尔后来以一系列吹塑成型的灯罩创立了自己的独立风格，这些灯罩表面采用浅蚀刻，并且手绘上了以暖色调呈现的花卉、风景或异国情调的禽鸟。汉德尔制造的其他家居日用品包括雪茄盒、夜灯、浅底杯、小咖啡杯和茶托，大部分也都是吹塑成型的玻璃器。

1900年后，其他一些生产花形玻璃灯具的美国玻璃工坊也都取得了不同程度的商业成果。曼哈顿的达芙纳和金伯利[Duffner & Kimberly]生产了一系列蒂凡尼风格的锡线灯罩。在马萨诸塞州的新

85. 双点公司，苹果树“泡芙”灯，约1910年。

85

贝德福德，双点公司[Pairpoint Corporation]有一种完全独创的革新设计：那是一系列命名为“泡芙”（图85）的吹塑灯罩，灯罩表面有高浮雕模塑表现的花朵轮廓。波士顿的比格洛肯纳德[Bigelow & Kennard]在这个领域中也十分活跃。

与盖勒一样，蒂凡尼也吸引了很大一批风格模仿者，不仅仅在蒂凡尼玻璃器最辉煌的1900年，这些仿效者一直持续活跃到了20世纪20年代。其中最有名的是绿咬鹃艺术玻璃与装饰公司[Quezal Art Glass & Decorating Company]，这家公司在1901年由两位蒂凡尼前员工马丁·巴赫[Martin Bach]和托马斯·约翰逊[Thomas Johnson]在布鲁克林成立。巴赫曾经在位于科罗娜的玻璃工作室中担任分批配料师，因此他掌握了蒂凡尼制作法夫赖尔玻璃的秘密成分与配方，而约翰逊则曾经是蒂凡尼的玻璃吹制师。没过多久，又有两个蒂凡尼前工匠加入了他们，分别是玻璃装饰师珀西·布里顿[Percy Britton]和采集工威廉·魏德柏[William Wiedebine]，他们一起厚颜无耻地生产了一系列蒂凡尼样式日用器具，包括玻璃花瓶和灯罩。其中最突出的是一套波浪卷边的花形敞口器，与蒂凡尼的天南星系列非常相似，但这套玻璃器皿闪闪发光的器表上，用翠绿色与金色拉丝描画出来的羽毛作装饰，其美感和蒂凡尼当时的典型器不相上下。

这家公司的名字“绿咬鹃”，取自于中美洲一种羽毛鲜亮的小鸟。他们一直持续营业到1925年，但再也没为他们的产品引进任何值得称赞的器型或技术。

文兰燧石玻璃制造[Vineland Flint Glass Works]，是另一家专注于生产蒂凡尼风格家用玻璃器的公司。它是在1900年左右由维克多·杜兰[Victor Durand]在新泽西州文兰市成立的。杜兰是法国玻璃名匠巴卡拉家族的后裔，他在1884年移民到了美国，成了为美国玻璃工厂工作的流动劳动力中的一员。杜兰使用了一系列看起来既像蒂凡尼又像绿咬鹃产品的装饰花案，包括缠绕植物茎干上的心形叶子，一片片条纹状的孔雀羽毛，以及一种被他的公司命名为“图坦卡蒙”的绗缝图案。不过他也创造了一些新奇的样式，比如一种有深深裂纹的玻璃器表面（制造方式是在玻璃器完全褪火前将之浸入冷水中），模仿的是火山岩石表面的裂缝，这种技法作为最后一道工艺步骤被运用到了许多花瓶和灯罩样式上，这层碎线条构成的覆膜被形象地称作“蜘蛛网”。

还有三家俄亥俄州的玻璃工厂，他们生产的玻璃器皿也常常和绿咬鹃公司以及杜兰制作的产品难以区分。他们分别是位于福斯托里亚成立于1899年的福斯托里亚玻璃专营公司[Fostoria Glass Specialty Company]，贝莱尔的帝国玻璃公司[Imperial Glass Company]和马丁渡口的芬顿艺术玻璃公司[Fenton Art Glass Company]。

第一次世界大战之后成立的几家美国玻璃公司，它们仓库中的产品显示着在这个行业要摆脱蒂凡尼的垄断性影响是多么的困难，尽管此时新艺术风格早已不再流行，而且蒂凡尼制品也开始变得乏味又敷衍。到了20世纪20年代，蒂凡尼已经不再参与科罗娜工坊的生产活动了，因而在1928年他决定将工坊卖给道格拉斯·纳什[A. Douglas Nash]，他是蒂凡尼的第一任工厂管理者阿瑟·纳什[Arthur J. Nash]的儿子。纳什接手后，在一段时间内继续生产金色光泽系列餐具，并且向其中增添了印花棉布、钻石光和洒金玻璃等新样式。

在世纪之交的美国，有两家玻璃生产商追求着一种中欧版本的新艺术装饰风格。一个是洪斯代尔装饰公司[Honesdale Decorating Company]，这家公司由多弗灵格父子[C. Dorflinger & Sons]于1901年在宾夕法尼亚州的洪斯代尔成立，是他们庞大家族产业中的一家艺术玻璃子公司；另一个是卡尔·赫尔米施迈尔德[Carl V. Helmschmied]，这是一个居住在康涅狄格州梅里登市的前波西米亚人。这两家生产商都刻意避开了蒂凡尼那种在传统的玻璃器型上采用传统装饰技法塑造的虹彩效果和有机形式。他们的花瓶用套色玻璃法烧制，或者采用贴色玻璃工艺烧制，在透明的玻璃层表面贴上红宝石或者黄玉石色，然后在器皿表面雕刻绘画上花卉与美好时代少女形象，这些作品常让人联想起法国的蒙特乔伊[Mont Joye]玻璃厂制品，以及波西米亚的特普利采[Teplitz]瓷器。

其他时不时一起抱团生产新艺术风格玻璃制品的，还有三家在美国东部的生产商：马萨诸塞州新贝德福德市的华盛顿山玻璃公司[Mount Washington Glass Company]，剑桥市的新英格兰玻璃公司[New England Glass Company]以及西弗吉尼亚州惠灵市的霍布斯布洛克尼尔公司[Hobbs, Brockunier & Company]。这三家公司都烧制了一系列桃红—琥珀—红宝石色的渐变色艺术玻璃，统一称它们为桃色釉玻璃或者琥珀玻璃。今天看来，这些器皿相比于新艺术风格更多地偏向了维多利亚风格，尤其是它们采用了路易十五或路易十六式的金属镶嵌，还有不计成本的褶边和压边玻璃饰带应用。其他活跃在1900年左右的玻璃生产商，大部分都将传统主义和现代主义糅杂混合在一起，制造出了一些毫无创意的产品，包括在俄亥俄州托莱多市的利比玻璃公司[Libbey Glass Company]，宾夕法尼亚州莫纳卡市的凤凰玻璃公司[Phoenix Glass Company]以及马萨诸塞州东三文齐市的波士顿和三文齐玻璃公司[Boston & Sandwich Glass Company]。但这些制造商全都不能被算作对新艺术运动真正做出过贡献的对象。

第六章 | 陶瓷

在世纪之交的工艺美术世界中，陶瓷工艺经历了一场颇为安静的变革，尤其和其他装饰艺术门类相比较的话。造成这种现象的一部分原因，是因为陶瓷界缺乏个性化的天才和善长于自我推销的大师，就好比珠宝界的莱丽克[Lalique]，或者玻璃界的盖勒和蒂凡尼那样。而另外一个不争的事实，就是陶瓷本身既缺乏珠宝的熠熠生辉，又没有玻璃那种色彩斑斓、流光溢彩的天然感染力。鉴于陶瓷不透明的成分特性，这种材质呈现出来的更多的是一种沉思和情感的召唤力，因此也更需要观者拥有针对复杂对象的鉴赏本领，比如观众需要学会细细品味陶胚、釉色以及它们在窑炉中不可预测的窑变，而不仅仅是欣赏戏剧化的视觉效果。用一句话简单地来说，陶瓷是一种用心欣赏的材质，而不是一种用眼睛欣赏的材质。

新艺术运动中的陶瓷器生产，包括单个的陶器小摆件到大型的商业制造，笼统来说都可以归进三个技术层面的分类：釉面工艺、造型工艺和装饰图案绘制工艺。当然在很多时候，工匠们会同时协调运用其中两到三种技法。

就像玻璃工艺界一样，陶瓷世界的第一场革新运动也发生在法国。在1860年左右，泰奥多尔·德克[Théodore Deck]被公认为第一个将陶瓷器从历史主义的魔掌中解放出来的人物。德克反对传统的陶瓷装饰画技法，尤其反对那些模仿古波斯、土耳其和远东陶器图案的装饰，这些器物重视釉面本身，将釉面置于崇高地位，远高于绘画或叙事性的图像。在釉色方面，德克自己发明了一种特殊的蓝绿色的绿松石釉，直到今天这种釉色还以他的名字命名。

86

86. 埃米尔·德科，三只粗陶花瓶，约1902年。

必须要说明的是，在19世纪末，对于德克和其他大多数的法国陶瓷烧造者来说，日本文化的影响是无处不在的：独立陶瓷工匠们到处搜寻着古老的日本上釉法以及烧制配料。而商业制造厂商，急切地模仿着青花瓷器上的纹样和图像。

版画家费力克斯·布拉克蒙[Félix Bracquemond]早早加入了德克的前期实验，接着是几位在世纪末运动中逐渐成熟起来的瓷器工匠，其中尤为突出的是艾德蒙·拉切纳尔[Edmond Lachenal]。他在夏提洛桑-波奈斯建立了自己的工作室，还发明了一种在法恩斯彩陶上镀金的技法。拉切纳尔是当时法国独立陶瓷工匠群体的典型代表，他们在釉面和陶器上都做着不同的实验。其中埃米尔·德科[Emile Decoeur]（图86）是拉切纳尔的学生，他的所有代表作都有着精致的蓝色、珍珠灰、灰绿或者象牙色釉面的特点。还有艾蒂安·莫罗-纳雷东[Etienne Moreau-Nélaton]，他发明了一种在器表纹路[champs]上填满单色釉作为装饰的风格。德克这一派中还有一个值得一提的人物，叫亨利·西门[Henri Simmen]，他在制作的瓷器表面施了一种火红色的牛血红釉[sang-de-boeuf]，此外他还采用一种兔皮灰釉[peau de lièvre]。在工艺美术领域中，西门堪称是一个技艺炉火纯青的陶瓷匠人，他能够独自熟练操作瓷器生产中的每一个环节：包括釉药的配制，陶瓷土的混合拉胚以及装饰和烧窑的全部过程。西门所采用的方法，更多是基于一次次实验带来的试错，而不是科学化的严谨公式，这在1900年左右的陶瓷匠人中非常常见，他们企图以此来反抗工业化批量生产对手工艺的入侵。

和西门的做法不同的是，大部分陶瓷工匠依旧保持了一种标准化的分工，让一位匠人来完成拉胚和脱模，另一位匠人来装饰。而对于新艺术风格的施釉大师来说，瓷土胚体唯一的作用，就是为他的釉药配方提供了一个可以尽情施展的创作表面。因此大量没有浮雕装饰，由古典希腊与东方灵感激发的对称器型变得十分常见。标准的家用花瓶成了最完美的施釉器，因为它既能作为一个功能性的容器，又可以乔装成为一件艺术作品。

1900年左右，现代派的施釉工匠将完美融合的釉料，送进预先设定好烧窑温度的窑口中，通过窑炉烧制来获得不同的陶器表层肌理、不透明度以及理想的釉色。在这个过程中，工匠们个性化的艺术表达得以一一实现。烧窑的变幻莫测也能给结果带来一些未知的惊喜。比如在窑火的焙烧下，瓷器部分釉面时常会被破坏，这会带来一些不完美的细节，例如不均匀的颜色、纹理、气泡或者斑点。但这些瑕疵也同时赋予最终的成品一些恰到好处的色调微差和与众不同的个性特征。

在众多新艺术风格的施釉工匠大师中，有一位杰出的陶艺家，叫作皮埃尔–阿德里安·达尔佩拉[Pierre-Adrien Dalpayrat]（图87），他在利摩日长大。离开利摩日之后，他辗转在波尔多、图卢兹、蒙特卡洛等多个城市追求自己的事业，而后又再次回到了利摩日，并最终在45岁的时候在皇后镇定居下来。达尔佩拉的妻子和三个儿子是他的助手，并且他时不时会和欧内斯特·沙普莱[Ernest Chaplet]联手合作一些作品。达尔佩拉醉心于华丽的中国高温陶瓷釉面，尤其是明清两朝的瓷器。他的独特兴趣点在于一系列厚厚的猪肝色祭红釉器，这些器物模仿的是郎窑牛血红釉，这种釉色也成了他的标志性颜色。除此之外，他还生产了一系列用两种颜色混合的大理石或水晶质感釉面，富有戏剧性的多彩视觉效果。达尔佩拉烧造了许多的法恩斯彩陶器、瓷器以及粗陶器，尤其在粗陶器上，他时常会精心施加一些镀金镶嵌来作为装饰。

欧内斯特·沙普莱，是最早的现代主义艺术家之一。他在1875年加入了位于巴黎第16区的瓷器工作室。工作室坐落于奥特伊的米歇

87

87. 皮埃尔–阿德里安·达尔佩拉，祭红釉粗陶器花瓶，约1897年。

88. 欧内斯特·沙普莱，粗陶水罐，约1898年。

88

尔-安热街116号，由查尔斯·哈维兰[Charles Haviland]建立。查尔斯·哈维兰是美国人大卫·哈维兰[David Haviland]的儿子，1842年，大卫·哈维兰在利摩日也曾经创办过一家瓷器工坊。坐落于奥特伊的这间瓷器工作室原本为实验新工艺而设，但没过多久，就发展出了一条法恩斯彩陶[faience]与粗陶器制作的独立生产线。沙普莱（图88）创造了一系列从日本风格中汲取灵感的陶器，这些陶器专注于透明釉层间的呼应关系以及图案元素的简化。1882年起，沙普莱拥有了自己的工作室，叫作“火之艺术”，坐落于巴黎沃吉哈赫区布洛梅街。在这间工作

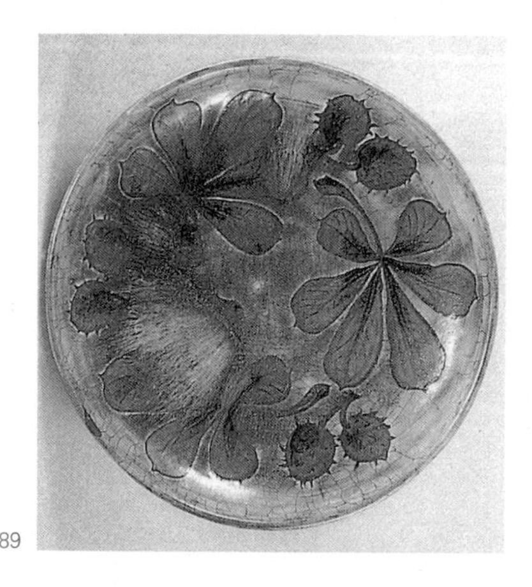
89

90

室中，沙普莱烧制了一系列的牛血釉器皿，在简单冷静的器型样式上施加了血玉髓与大理石质感的光亮釉面。这些作品获得了评论家们的交口称赞。

奥古斯特·德拉哈切[Auguste Delaherche]（图89）是又一个多才多艺的世纪末运动的陶瓷大师。德拉哈切最初接受了成为一个画家和玻璃工艺师的专业训练，后来又在克里斯托夫勒学了银器工匠手艺，从1887年起，他开始专注于瓷器制造。他在奥特伊的瓷器工作室中受到过沙普莱的指导，后来德拉哈切出资买下了这个工作室。德拉哈切很快创作了一系列风格显著的高温红釉和无光釉器皿，接着又创作了一些色彩斑驳的陶器和双色陶器。1894年之后，在位于勒夏贝拉的新工作室中，德拉哈切在自己的常规陶器系列制品之外，又创烧了一批采用镂花工艺雕琢或网刻而成的施釉陶瓷，这些产品模仿的是中国的玲珑瓷器。

1872年，克莱门特·马希[Clément Massier]（图90）在戈尔夫瑞

89. 奥古斯特·德拉哈切，陶瓷盘，约1903年。
90. 克莱门特·马希，盘子，1892年。
91. 让·卡里，粗陶花瓶，1892年。

昂成立了一家瓷器工厂。这家工厂的早期设计深受摩尔风格和文艺复兴典型器皿的影响，但在马希对虹彩陶瓷的不断探索中，以及在画家卢西恩·列维-杜梅[Lucien Lévy-Dhurmer]的协助之下，他们逐渐摆脱了这些陈旧的形式。新型器采用含金属元素的釉面，经过高温烧制混合后，常常在少女和花卉等釉下彩绘图案表面流淌扩散开来，形成绿中带紫、紫中泛红、浅紫与橙红相融，表面还闪耀着蓝光的各种色泽。马希特点鲜明、五光十色的虹彩陶瓷吸引了不少模仿者，尤其是匈牙利佩奇市的乔纳伊瓷器厂[Zsolnay manufactory]以及俄亥俄州赞斯维尔市的塞缪尔·维勒[Samuel A. Weller]。维勒将他的虹彩陶器系列命名为“西卡朵”[Sicardo]，用来表彰和纪念法国人雅克·西卡德[Jacques Sicard]。西卡德曾是马希的前助手，而维勒在1901年前后雇佣他为自

91

己工作。

让·卡里[Jean Carriès]（图91）是在1878年万国博览会之后，第一批向法国陶瓷产业传统风格发起挑战的艺术家。卡里采用了古老的日本陶器工艺，在1894年去世之前，他创造了一系列的立体塑像作品，包括滑稽面具、半身塑像、水果、爬行动物、地精、蔬菜和蛤蟆等。这些物品表面施上了蓝色和棕色相杂的釉面，还略带一些绿色，随后送入高温烧窑，生成一种含有氧化金属的表面图案。在卡里所有的学徒中，亚历山大·比戈[Alexandre Bigot]和乔治·亨治尔[Georges Hoentschel]是1900年最成功的新艺术代表人物。

比戈最初是个化学家，在1889年的万国博览会之后，他开始对东方瓷器产生了浓厚的兴趣。于是他在自己家乡（卢瓦尔-谢尔省）的梅镇建立了一个陶瓷工作室，并于1889年到1900年之间在此烧制各种器具。他烧制的陶器拥有一系列性格鲜明的色泽，包括栗棕、松石绿、铜红以及柠檬黄等。并且许多都是建筑和雕塑的釉彩陶构件，比如为吉马德的贝朗热公寓，以及为布尔代勒[Bourdelle]和茹夫[Jouve]的建筑作品制作的饰板、饰带、烟囱壁和纪念碑。亨治尔则是一个专业的室内设计师，也是一个陶艺家（图92），他是又一个在世纪末运动中被新艺术风格所吸引的手工艺人。亨治尔用各种材料媒介阐释着他对华丽的定义，包括1900年在万国博览会上，为艺术装饰联盟展览馆所设计的家具和细木护壁板。他还创作了一系列由日本风格所激发的陶瓷器，其中有一些镶上了有机造型的铜饰件。

卡里的第三个徒弟，保罗·让纳内[Paul Jeanneney]（图93），烧制了一种色调宁静的限量版不对称造型容器，这些容器甚至可以说看起来十分清峻，其中某些器皿表面还有一种水晶般的透明结壳。

在陶瓷这种材料媒介的发展史中，还有一个值得一提的小插曲，那就是保罗·高更在1886年到1893年间，曾运用陶土和赤陶探索了可

92

93

塑性材料和色彩间的相互关系。高更创造了大约70件作品，其中许多件作品在主题、象征和色调方面，都给新艺术图像带来了很大的启发。

和比戈一样，埃米尔·穆勒[Emile Muller]在他位于巴黎附近的伊夫里小作坊中制作了一系列带有建筑意味的陶器，因为它们广泛的用途而被命名为穆勒粗陶[grès Muller]。他制作的一些壁画、庭园雕像和装饰品都带有新艺术风格，这是为一群雕塑家和艺术设计师烧制的，包括弗雷米耶[Frémiet]、查隆[Chalon]、康斯坦丁·穆尼[Constantin Meunier]、菲克斯-穆塞尔[Fix-Masseau]、格拉赛[Grasset]和亚历山大·沙彭蒂[Alexandre Charpentier]等人。

92. 乔治·亨治尔，陶瓷花瓶，1898年。
93. 保罗·让纳内，陶瓷盖罐，约1902年。

94

出生在阿尔比的塔克西勒·铎特[Taxile Doat]，曾在利摩日的阿德里安学校和巴黎的法国美术学院学习设计和制瓷工艺。在塞夫勒国家制瓷厂[National Manufactory of Sèvres]工作的时候，铎特和另一位陶匠马克–路易·梭伦[Marc-Louis Solon]一起，将陶器贴塑[pâte-sur-pâte]工艺发扬光大，并因为这方面的精湛技巧而远近闻名。到了1900年，铎特已经一跃成了行业中的传奇人物。他技艺炉火纯青，成功烧制了一系列全然不同的陶瓷品种，包括窑变釉、结晶釉、龟裂纹、虹彩等釉面效果，并且在他1905年出版的著作《高温釉陶瓷》[Grand Feu Ceramics]中大方地将经验与业内同行分享。铎特的瓷器造型设计和他烧制的釉面一样，样式不同而品种繁杂，包括做成苦瓜和葫芦形状的瓜果形容器，以及面具、牌匾、瓶子、碗碟、镇纸和肖像章等器物（图94）。在他烧制的某些器皿表面，他会刻意留出一些不施釉的器表来彰显胎体本色，形成一种令人耳目一新的美学效果。

1909年，铎特经由一位企业家兼艺术爱好者爱德华·路易斯[Edward J. Lewis]的邀请，参与指导了美国妇女联盟位于美国密苏里州大学城的新艺术陶瓷厂的组建。就在同一年的晚些时候，他受聘成为大学城陶艺厂的总监，并且与许多美国最前卫的艺术陶瓷大师展开了合作，包括罗比诺[Robineau]、瑞德[Rhead]和达尔奎斯特[Dahlquist]。1915年，铎特返回了法国。

在阿尼埃尔市的安德烈·梅西[André Metthey]（图95），是第一批受到卡里风格影响的新艺术运动陶瓷匠人。他邀请了一批成名的画家和雕塑家来为他的大部分陶瓷作品做表面装饰，包括博纳尔、丹尼斯、

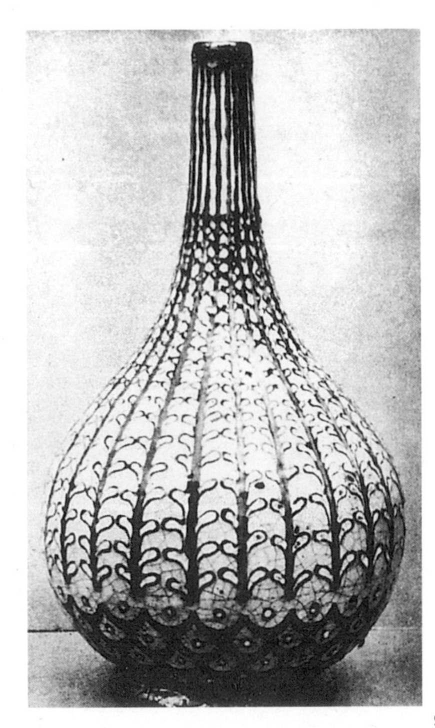

95

94. 塔克西勒·铎特，两块饰板和三个花瓶，1902年。

95. 安德烈·梅西，陶瓷花瓶，1903年。

马约尔[Maillol]、马蒂斯[Matisse]和雷东等人。在这种模式下，梅西就可以专心致志地将精力放在研究新釉色、开发新模塑和印花技巧上了，而他在这些方面也确实表现出了惊人的天赋。在这之中，他烧制的窑变釉[flambé]极为成功。

在南锡，工匠们将盖勒和南锡派所创作的那些自然主义风格图像应用到了陶瓷上面。盖勒本人烧制的一些具有实验性质的陶瓷器皿（图96），大多是早年在他父亲位于圣克莱蒙特的工作室中完成的。他的装饰手法深受日本风格的影响，这一点在他制作的法恩斯彩陶器上尤其突出，这些器皿以金地装饰，表面绘饰着扇子、印章和怒放的花枝。到了1900年，其他一些南锡的本地陶艺师，尤其是厄内思特·比西埃[Ernest Bussière]以及约瑟夫·穆然、皮埃尔·穆然[Mougin frères]两兄弟，给陶瓷业带来了焕然一新的活力，也创造了更为瞩目的成果。南锡派的脱蜡铸造法[pâte-de-verre]玻璃工艺师，阿马立克·华尔特[Amalric Walter]也会偶尔涉足陶瓷工艺，尝试创造一些装饰性的陶瓷

96

96. 艾米尔·盖勒，陶瓷花瓶，19世纪80年代。

97. 拉乌尔·拉切纳尔，六件花瓶，1904年。

97

器具。

在新艺术运动最流行的巅峰时期，有许多独立的法国陶瓷工匠也深受这种风格的影响。比如埃米尔·勒诺布勒[Emile Lenoble]、保罗·拜尔[Paul Beyer]和雷尼·巴赫德[René Buthaud]，他们在新艺术风格时期的创作经历，为日后在两次世界大战间取得的事业高峰奠定了坚实的基础。其他一些人，例如瑞士人爱德华·山德士[Edouard Sandoz]，曾为哈维兰瓷器工坊和塞夫勒制瓷厂设计动物题材的瓷器画稿，后来也在其他领域中获得了引人瞩目的成就。还有（艾德蒙·拉切纳尔的儿子）拉乌尔·拉切纳尔[Raoul Lachenal]（图97）和亨利-里昂-查尔斯·罗本哈尔本[Henry-Léon-Charles Robhalben]，他们也创作了多件艺术性和技巧性兼备的现代主义瓷器作品。

许多陶瓷工匠会趁陶土湿润柔软的时候在表面塑形，捏塑出立体的三维造型效果。在新艺术时期，这些浮雕装饰大多都是有机植物题材

98

98. 皇家丹麦制瓷厂，陶瓷装饰，约1905年。

99. 尼尔埃里克·朗德斯乔姆，为罗斯兰烧造的瓷花瓶，约1900年。

100. 阿尔伯-路易·达矛斯，陶瓷花瓶，1903年。

的：成排的花朵、蓓蕾和植物茎干探出器皿表面，后续施加的釉面层又将它们完美融合成了一体，再加上雕刻或划花等细节处理手法，让整体造型更为活泼清晰。

与新艺术作坊陶瓷强调釉面效果所不同的是，法国的大型商业制瓷厂，例如塞夫勒陶瓷厂、利摩日陶瓷厂和万塞纳陶瓷厂，都更偏爱维多利亚式的彩绘装饰技法。因为釉面装饰需要依赖窑炉烧造的偶然效果，但这并不利于工业化的大规模生产。

一种铺天盖地的流行图像——占据了美好时代各种实用器物表面的“漫天花雨”图案和“鲜花少女”图案，被艺术家和装饰工匠画在了各种各样的陶器或瓷器瓶身之上。它们大多采用强烈的日本和风手法描绘。哈维兰还创造了一种巴尔博汀陶器料浆法，也就是在陶器表面施加一层透明的釉下化妆土，这在当时广为流行。同样风靡一时的还有厚涂法[impasto]，这是由沙普莱在1872年从绘画中借鉴到陶瓷界的一种技法。厚涂法将各种不同层次的颜料调和在一起，快速而随意地在器皿表面涂抹出深沉或明亮的色调，最终形成一种令人惊艳的生动效果。

塞夫勒国家制瓷厂成立于18世纪，在1891年经过全面整改，到1900年已经形成了一种传统与现代的结合风格，在瓷器釉色和彩绘花案上都拥有多种多样的样式选择。塞夫勒最有天赋的新艺术风格工匠有阿尔伯·达矛斯[Albert Dammouse]（图100）、马克-路易·索隆[Marc-Louis Solon]以及在20世纪20年代炙手可热的爱都华·卡佐[Edouard Cazaux]。塞夫勒制瓷厂生产的世纪末风格产品中，包括素瓷瓷偶、陶瓷瓷偶，以及由著名雕塑家和装饰艺术家设计的家用配件，这些配件中有阿加通·里欧纳德[Agathon Léonard]、劳尔·拉尔克[Raoul Larche]和乔治·德·弗尔的设计作品。

在法国之外的其他地区，新艺术风格瓷器的发展兼具国家性和地

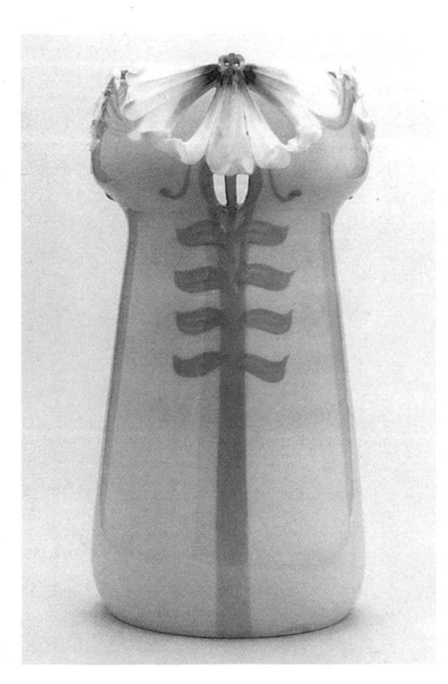
99

100

方性双重特点，各大中心城市之间风格也会相互影响。德国北部和斯堪的纳维亚地区，新艺术风格的瓷器获得了巨大成功，在1900年左右投入了工业化的大规模系列生产。在哥本哈根，埃米尔·克罗格[Emil Krog]艺术指导下的皇家丹麦制瓷厂[Royal Danish Porcelain Factory]（图98）以及B&G制瓷厂[Bing & Groendahl]，都烧制了一系列花卉、昆虫、螃蟹和海藻造型的瓷器摆件，这些白地釉下彩瓷用了粉蓝、粉红、豆绿和灰色的调子，图像也常常用浅浮雕式的塑形手法表现，这种技法能给瓷摆件带来写实和精致的效果。1896年在斯德哥尔摩郊外的罗斯兰，艺术家沃尔夫·华兰德[Alf Wallander]（图99）也烧制了一种相似的带有明艳花卉装饰的器皿。

在柏林，向来风格传统的德国皇家制瓷厂[K.P.M.]在1902年特奥多尔·施穆兹-波迪斯[Theodor Schmuz-Baudiss]的到来之后，开始试验性地尝试起了青春风格，生产了一批带有曲线和花卉图案的餐具与花瓶。梅森的国有陶瓷厂[Staatliche Porzellan-Manufaktur]也通过雇佣外聘设计师的方式，为他们的产品引入当时最前卫的现代风格，这些设计师包括凡·德·威尔德和贝伦斯诸人。其中，由亨切尔兄弟[Konrad and Rudolf Hentschel] 在1901至1902年设计的“翅膀”系列图样，获得了公众和评论家的一致好评。更南部的地区，比如位于巴伐利亚的宁芬堡陶瓷制造厂[Nymphenburger Porzellan-Manufaktur]，在艺术家兼版画家赫曼·格莱德[Hermann Gradl]的指导下，生产了一系列与青春风格样式相似的陶瓷餐具。与此同时，萨尔州的唯宝公司[Villeroy & Boch]也制造了一批带有含蓄现代主义风格的瓷器，并冠上了公司的品牌名，称为梅特拉赫瓷器[Mettlach]。另外有两家德国制造厂商对于新风格也进行了浅尝辄止的实验，包括位于塞尔布的罗森塔尔瓷厂[Rosenthal]（图101）和位于胡顿斯泰纳的斯韦因瓷厂[Swaine & Co.]。

101

在德国的独立陶瓷工匠中，参与新艺术运动的可谓寥寥无几。但这其中最引人瞩目的就是马克思·洛格[Max Läuger]，他是一个跨界多媒体创作的艺术家兼手工艺人。洛格的工作室位于黑森林地区的坎登镇，在那里他烧造了一系列带有青春风格的器皿。

低地国家也在新艺术运动中展现出多姿多彩的艺术形态，尤其是海牙附近的罗曾堡地区，那里出现了一位化学家，叫恩格尔登

101. 罗森塔尔瓷厂，瓷杯与瓷碟，约1902年。

102

[M.N.Engelden]。恩格尔登在1899年创造了一种极薄的“蛋壳”瓷，这种技术被运用在一系列新艺术风格的瓷器装饰中。由科克[J. Kok]、谢林科[J. Schellinck]和哈特格林[W.P. Hartgring]等人，在这种“蛋壳”瓷上发展出了一种带有荷属东印度群岛爪哇岛上的艺术风格，而

102. 安芙拉瓷厂，一对粗陶花瓶，约1900年。

非新艺术运动中常见的日本风格。在其他烧造新艺术风格器皿的陶瓷厂中，值得一提的还有皮尔默伦德的哈加瓷厂[Haga]，这是由布兰奇斯[Wed.-N. Brantjes]所创办的。哈加瓷厂的产品，在装饰手法上很大程度模仿了罗曾堡地区的装饰风格。除此之外，还有欧斯特吉莱顿的爱芙拉瓷厂[Amphora]，在1894到1910年间，这座瓷厂在设计师凡·德·荷夫[Christian Johannes van der Hoef]的监造下，生产了一批具有现代设计风格的产品。另外，位于阿姆斯特丹和高达的艾丝特湖瓷厂[Amstelhoek]，也曾经短暂地留恋于新艺术浪潮的怀抱。

在欧洲大陆的中部，也就是奥地利、匈牙利和今天的捷克、斯洛伐克等国家，这里的新艺术瓷器远比北欧地区的产品更商业化。除了某几座特立独行的维也纳工坊外，大多数瓷厂都紧密迎合着市场潮流的变化。唯一的例外就是与维也纳工坊艺术家联系紧密的维也纳陶瓷坊[Wiener Keramik]和格梦纳陶瓷厂[Vereinigte Wiener und Gmundner Keramik]，这两座陶瓷厂与约瑟夫·霍夫曼、贝托尔德·洛夫勒[Berthold Löffler]、达哥贝·佩西[Dagobert Peche]、迈克·波沃尔尼[Michael Powolny]和奥托·普鲁彻[Otto Prutscher]等人都有着合作与联系。在特普利采的安芙拉瓷厂[Amphora]（与荷兰的同名瓷厂并无关系）（图102）以及皇家杜赫瓷厂[Royal Dux]，生产了大量的陶瓷器皿和陶瓷塑像，尤其是那些陶瓷塑像，大量模仿了巴黎沙龙中展出的慵懒女人形象的花青铜雕塑。许多瓷器表面还镶嵌了彩色玻璃宝石，并由金粉装饰点缀。可以与之媲美的是维也纳的恩斯特·沃利斯[Ernst Wahliss]，他制作了一系列颇为可观的法恩斯彩陶器。同时在匈牙利的佩奇市，维尔莫什·索尔[Vilmos Zsol]和儿子米克洛斯[Miklos]在家族企业乔纳伊瓷器厂[Zsolnay]中，烧造了一系列色彩鲜亮的虹彩陶器。

意大利佛罗伦萨的艺术陶瓷[L' Arte della Ceramica]生产商和坎塔加利[Figli di G. Cantagalli]以及都灵的理查德[Richard]陶瓷，都模

103

103. 威廉·莫克罗夫特，“花神”陶花瓶，1899年（左）和1900年（右）。

仿了丹麦陶瓷厂产品的形式和装饰纹样。细长的花瓶器身上点缀着形式感很强的花枝造型，色泽明艳，远比周围波西米亚地区的器物要优雅精致得多。

在英国，维多利亚时代晚期的陶瓷工艺界被折中主义的复古风潮所占领，生产了各种哥特主义、日本风、伊斯兰风格和英国本土唯美主义风格的陶瓷产品，但对于欧洲大陆所流行的新艺术运动，英国人并没有展现出太大的兴趣。偶尔有一些探索现代主义新风格的创新尝试，但这些陶瓷最终不是品质低劣，就是过分迎合了商业市场。

威廉·莫克罗夫特[William Moorcroft]（图103）在1897年成为詹姆斯麦金太尔公司[James MacIntyre & Co.]艺术陶瓷的生产总监，公司位于伯斯勒姆，莫克罗夫特在那里设计了一系列的“花神”陶器[‘Florian’]。这些陶器在施釉之前用了一种图案转印的技法，在陶器的泥釉层上，印上了花卉和孔雀羽毛等画片作为装饰，形式感非常强。而这个公司的其他彩绘陶器，如“石榴香”[‘Pomegranate’]、“黑泽汀”[‘Hazeldene’]、“蔻兰蘑”[‘Claremont’]等系列，都一并显示出在对待欧陆先锋设计的问题上英国人所特有的一种熟知但不盲从的矜持态度。在位于伦敦朗伯斯区的道尔顿公司[Doulton &

104. 乔治·欧尔，陶瓷花瓶，约1900—1906年。

104

105 ▶

Co.]，由巴洛姐妹[Florence and Hannah Barlow]和伊莉莎·西芒[Eliza Simmance]描绘在陶器上的风景图案，又呈现出另一种受到新艺术运动影响后的表现形式。明顿陶瓷厂[Minton’s]坐落于斯塔福德郡斯托克市，其中有两位设计师：路易斯·索伦[Louis Solon]和约翰·华兹沃斯[John Wadsworth]，他们设计的“分离派”[‘Secessionist’]系列陶器也展现了欧洲现代主义运动在英国的独特形式。

但在这整个时代中，要论英国最迷人又诙谐的陶瓷设计，首屈一指的就是马丁四兄弟[Martin brothers]的作品了（图105）。这四兄弟分别是瓦尔特·马丁[Walter]、罗伯特-华莱斯·马丁[Robert-Wallace]、爱德温·马丁[Edwin]和查尔斯·马丁[Charles]。作为一个家族企业，他们最开始在富勒姆地区发家，然后又迁往米德尔塞克斯郡经营。马丁兄弟烧制了大量的盐釉粗陶器，这些器物的装饰欢乐地刻画了神话中殊形诡状的异兽和做着怪相的奇妙珍禽。

1906年，伯纳德·摩尔[Bernard Moore]从朗顿搬到了斯托克市，他的关注点在于陶瓷的釉面创新。摩尔用一种个性化的写实风格，创造了一系列经高温和低温共同烧制而成的铜红釉粗陶器和瓷器。1898年，威廉·泰勒[Wiiliam Howson Taylor]在伯明翰附近成立了拉斯金陶艺厂[Ruskin Pottery]，他也和摩尔一样专注于釉面的实验变化，泰勒尤其从中国瓷器上获取灵感，创造了一系列经高温烧制而成的窑变釉、虹彩釉和结晶釉陶器。

在大西洋彼岸的美国，处于世纪之交的陶瓷产业也和欧洲的情况相仿，大致被分割成了两个阵营：独立陶瓷工匠与作坊探索着最新的釉面效果和造型创新，而大制造商则选择了一种偏于绘画的、商业操作性更强的装饰手法。无论是哪个阵营，都创作出了一些令人耳目一

105. 马丁兄弟，一对盐釉粗陶怪脸水罐，1892年。

107 ▶

106

106. 弗雷德里克·瑞德，粗陶水壶花器，约1900年。

107. 鲁斯·埃里克森，为格鲁拜陶艺厂烧造的陶瓷花瓶，1905年。

新的作品。

在釉面效果的探索之路上，不少陶瓷工匠创造出了许多离经叛道的大师级别的杰作。例如休·罗伯森[Hugh C. Robertson]，他在掌管戴德罕陶艺厂[Dedham Pottery]期间，极力追求一种戏剧化的视觉质感。罗伯森创造了一种色彩缤纷的混合釉面，并在表面滴洒下淋漓釉浆，当在超高温的窑炉中烧造以后，这些陶器表层会呈现出一种冒着泡的火山熔岩般的特殊纹理。而在密西西比州，自封为比洛克西“疯陶匠”的乔治·欧尔[George Ohr]，无论在脾气个性还是艺术创作上都显得更为古怪（图104）。欧尔会给他烧造的超薄陶器施加一系列的最

终工序，这些留在最后的点睛之技包括卷边、捏皱、打褶和压扁等。

此外，还有布劳威尔陶艺厂[Brouwer Pottery]的小西奥菲勒斯·布劳威尔[Theophilus A. Brouwer, Jr.]，以及高温釉烧陶艺厂[Grand Feu Art Pottery]的科内利厄斯·布劳克曼[Cornelius Brauckman]，都以一种更为低调内敛、更为循规蹈矩的方式表达和演绎着个人风格。罗斯维尔陶器公司[Roseville Pottery Co.]的弗雷德里克·瑞德[Frederick H. Rhead]（图106）和马布尔黑德陶艺厂[Marblehead Pottery]的阿瑟·巴格斯[Arthur E. Baggs]，都在探索着现代釉料的新配方，同样在这方面不断进行实验探索的还有一些大型陶艺工作室，比如切尔西陶艺工坊[Chelsea Keramic Art Works]、梅里马克陶艺厂[Merrimac Pottery Co.]、匹瓦比克陶艺坊[Pewabic Pottery]和沃勒陶艺坊[Waller Pottery]等。

当时，在世界范围内都享有知名度的是波士顿的格鲁拜陶艺厂[Grueby Pottery]（图107）。在1900年的万国博览会上，格鲁拜陶艺厂的产品展览在蒂凡尼玻璃器展柜旁边，获得了如潮水般的热烈好评。格鲁拜所产的绿釉陶器十分可爱，虽是单色釉，色泽却温润而丰富，虽有天鹅绒般顺滑的表面，却是哑光质感——这种高品质的质感对于当时美国的陶器工艺界来说，是独一无二的。在此之前，陶器工艺的最后几道工序通常十分粗劣，不是在表面喷砂就是将器皿浸入酸液中进行酸浴。在格鲁拜陶艺厂出产的产品上，有一些由于施釉厚薄不均匀形成的浅绿色的脉络图案，人们将带有这些图案的格鲁拜陶器美誉为“小黄瓜”或“西瓜皮”。俄亥俄州的罗斯维尔陶艺厂[Roseville Pottery]也和格鲁拜陶艺厂一样，专注于产品釉面的打造，有时甚至会在陶器釉面进行雕刻来做进一步的装饰。

1906年前夕，蒂凡尼工作室宣布进军陶艺界，他们着手在单色釉的烧造工艺上做了大量实验。蒂凡尼烧造的陶器造型大胆，用圆雕模具

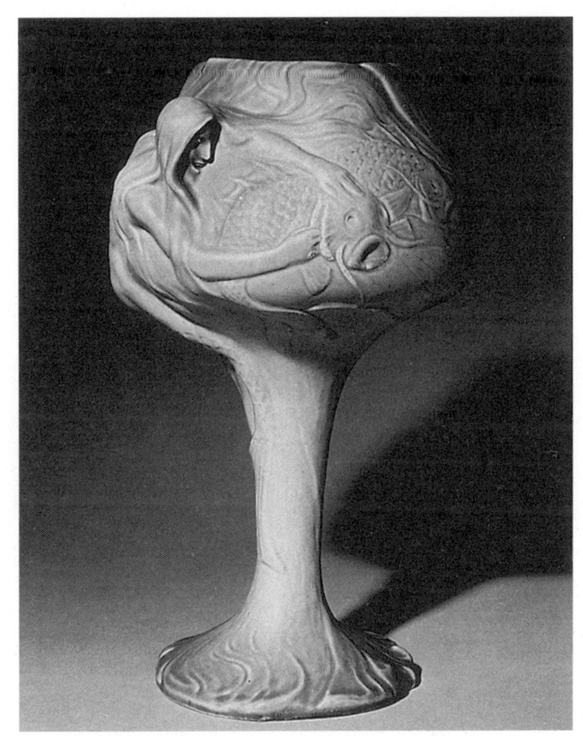

108. 阿图斯·范·布里格尔，祝酒杯，陶瓷圣餐杯，1901年。

108

做出了各种蔬菜和花朵的形状（图110），然后用大地色系的彩色釉料在表面施涂，包括象牙色、米黄色、棕色、绿色或赭石色等。与其相似的是，盖茨陶艺厂[Gates Potteries]的经营者威廉·盖茨[William Day Gates]也设计了一系列单色釉陶器，这些陶器拥有建筑物一般的结构，以泰可[Teco]这个品牌名在市场销售（图111）。其中尤为著名的是一系列绿色无光釉的陶器花瓶，灵感来源于新艺术运动中的花卉造型。

新泽西州的夫雷明顿，有一家法尔佩陶艺厂[Fulper Pottery]（图109），这家陶艺厂烧制了一系列灵感来自于中国粉彩瓷器的颜色釉。当两个世纪前，清朝的粉彩瓷器在欧洲中断销售之后，陶瓷工匠们始

109

110

终难以仿造复制出它的工艺。法尔佩的这些颜色釉陶器，连器型都精心仿制了中国的杯碗、将军罐和天球瓶等造型。此外，独立陶匠阿图斯·范·布里格尔[Artus van Briggle]（图108）也被古老中国的无光泽釉瓷器所深深吸引。1899年，布里格尔离开了俄亥俄州的洛克伍德陶艺厂[Rookwood Pottery]，搬到了科罗拉多斯普林斯市。布里格尔仿制中国陶瓷，制造了大量的无光泽釉陶器，其中很多器皿上还以高浮雕的方式装饰上了新艺术风格的人物形象。

位于辛辛那提的洛克伍德陶艺厂，是美国彩绘陶瓷方面最重要的生产商。自它从1880年成立以来，连续50多年持续生产着数量惊人的高品质器具。长期供职于这家陶艺厂的艺术家和陶瓷装饰工匠中，不乏技艺精湛的大师，比如出生于日本的白山谷喜太郎[Kataro Shirayamadani]（图112）和马修·戴利[Matthew Andrew Daly]，他

109. 法尔佩陶艺厂，洒铜结晶釉陶瓷花瓶，1918—1922年。

110. 蒂凡尼工作室，莲花碗，法夫赖尔陶器，约1905年。

111

111. 弗里茨·阿尔伯特为盖茨陶艺厂烧制的“泰可”陶瓷花瓶，1904—1905年。

112. 洛克伍德陶艺厂，陶瓷花瓶，白山谷喜太郎绘，1899年。

112 ▶

们二人都十分擅长将自然主题转化成新艺术风格的精致图样。新奥尔良的科姆学院陶艺坊[Newcomb College Pottery]，也在生产的陶瓷器皿表面大量装饰户外风景图案，在一些图案的细节处，还采用了刻花的手法勾勒出设计稿中纹饰不同的部分。

最后，用一段关于阿德莱德·罗比诺[Adelaide Alsop Robineau]的简要介绍来作为本章的结尾，想必是最为恰当的，因为在很多人眼中，罗比诺是这个时代陶瓷工匠中的集大成者。虽然在个人性情上，罗比诺是一个保守主义者，但在她的不少作品中，却能看出她对新艺术风格的偏好和倾向。罗比诺所掌握的陶瓷工艺技法堪称完美，她不仅能够熟练运用多种工艺，包括其中最费时费力的陶瓷切割技术，而且她推动发展了大量的无光釉、光泽釉和结晶釉技术，在整个国际陶瓷界都备受尊崇，令人敬仰。

第七章 | 珠宝与时尚

世纪之交的法国珠宝，在名称上可以被粗略划分成两大类：高级珠宝[joaillerie]和时装珠宝[bijouterie]。尝试发明一整套术语来明确区分高级珠宝和时装珠宝之间的差异，成了19世纪晚期珠宝界的热门事件，这很大一部分原因是因为二者之间的相互关系以及它们和第三方——金银匠之间的关系，在这个时期亟待梳理。亨利·维弗[Henri Vever]的三卷本《十九世纪法国时装珠宝》[*La Bijouterie Française aux XIX Siècle*]，是试图对此下一个明确定义，并尝试着进行分类的出版物。当时除了他以外还有不少抱有这种想法的珠宝商，但这场争论始终没能得出一个令人满意的结论。如果根据本书的主旨来进行一番定义，那高级珠宝匠应该指的是那些致力于为他们所用原料的固有价值服务的匠人；而那些被我归入时装珠宝匠的设计师，则因为他们的理念和前者截然相反，他们认为：匠心和艺术表达才真正奠定了一件珠宝的核心价值。尽管两个群体都在试图创作现代风格的作品，但他们通过不同的手法传达着艺术表现力，并且在材料的选择上也有完全不同的偏好。

高级珠宝，代表了传统法国珠宝的主流。他们完全摒弃了廉价的替代品，只选用贵重宝石和贵金属，并在品质挑选上有着严苛的要求。珠宝镶嵌首饰有本身的内在价值，价值的高低由镶嵌宝石的克拉数所决定，也转而使这些珠宝首饰衍生出可观的市场价值。克拉就是珠宝商的流通货币。因而，对于19世纪后半叶的法国高级珠宝行业来说，整个产业的客户群体全数倚赖一批富有的社会精英。和当时世界上的其他国家一样，购买高级珠宝的法国人大多是皇室贵族、豪门世家，以及人数虽少却在不断壮大的新富阶级，后者在工业革命中积累了大量的经济资本。然而对于人群中的大多数普通人来说，根本没有财力购买如此昂贵的珠宝。时装首饰的出现，就为这些大众提供了一系列用玻璃、石榴石和浮雕宝石等平价有色材料做成的替代品。

19世纪60年代的法国珠宝行业深陷于复古主义的浪潮之中——仿制伊特鲁里亚时期、亨利二世时期、查理曼时期、文艺复兴时期和路易十三时期风格的复古设计层出不穷，一个接一个被推上时尚潮流的舞台。而评论家们对于业内普遍缺乏艺术整体性和创造力的摹古做法深恶痛绝，不断发出批评之声。第一缕新生的曙光出现在70年代，在法兰西第二帝国的杰出珠宝匠人奥斯卡・马桑[Oscar Massin]的设计中，他创作的珠宝造型已提前预示了新艺术运动的到来。马桑将一种隐约的自然主义风格和流线型引入了他的花卉珠宝造型，虽然今天看来，他所做的这些改革过于保守，有些甚至微小到难以察觉。而另一例预示着大变革即将到来的设计，是卢西恩・法莱兹[Lucien Falize]在1889年的万国博览会上所展示的首饰作品，他设计的黄金手镯上装饰着三色堇、紫罗兰

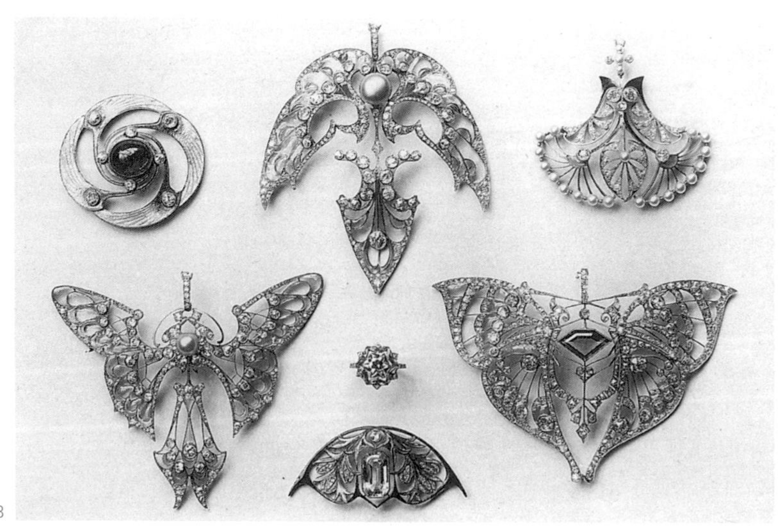
113

114

113. 亨利·维弗，珠宝首饰，1900年万国博览会。

114. 雷尼·莱丽克，挂坠，珐琅金、玉髓和巴洛克珍珠，约1898—1899年。

和康乃馨等花卉。

直到1900年，高级珠宝业依旧被困于传统主义之中。对于巴黎沙龙中正在涌现的自然狂潮，高级珠宝业根据材料特点，量身定制了一系列自然主义造型的镶嵌珠宝，显示了对于这种新兴美学的高度认可。各大珠宝品牌纷纷加入支持的行列，例如宝诗龙[Boucheron]（图116）、法莱兹[Falize]（图115）、维弗[Vever]（图113）、山度士[Sandoz]、科隆[Coulon & Cie.]和菲力德普雷[Félix Desprès]等品牌，

115

116

共同联手开始了一场安静的改革。他们在臣服于现代艺术创作冲动的同时，保留了使用昂贵材料的等级传统。在这场转变之中，钻石被推上了至高无上的地位；它成了各大重要订制件中的首选材料，包括那些为欧洲王室成员所做的委任制作。即便不是整件珠宝首饰的核心，钻石也会被簇拥在大块宝石之间，或者采用密钉镶手法将华丽耀眼的小钻连成一片，以此来衬托突出中间的主石。新艺术运动中的珠宝匠人，常用彩色宝石来点缀映衬钻石，而钻石内部的火彩之美，也使它成功担当起这无与伦比的魁首之位。或许钻石魅力的一部分在于其无懈可击的呈现方式——每一种镶嵌手法都是对钻石切割工艺的一种颂扬。

115. 法莱兹兄弟，珐琅金百合胸针镶钻石，约1897年。

116. 宝诗龙和埃德蒙·贝克，《夏娃的三个女儿》，胸针，1897年。

1900年的高级珠宝工匠们，喜欢从路易十六时代的艺术中寻找装饰图案的灵感，莨菪叶花环、橡树枝、阿拉伯卷草纹、齿状装饰和垂花饰都是他们所偏爱的纹饰。而其他时期的古典风格——包括神话传说、埃及文字、亚述艺术、拜占庭、中世纪、文艺复兴和东方艺术，也给这些珠宝工匠们提供了各种丰富的艺术史图像，这其中有长着翅膀的龙、酒神祭司、喀迈拉怪兽、圣甲虫、蛇发女怪等。蝴蝶和甲壳虫之类的昆虫，多以一种相似的一丝不苟的规矩手法来表现，因此看起来大多僵硬且毫无生气。

1895年左右，新艺术运动吸引了一批新生代珠宝工匠，对他们来说，时装珠宝是发自内心的选择。这些珠宝匠中有很多人尚无力购买昂贵的贵重宝石材料，因此他们对于强调设计、使用替代品的理念有着天然的好感。没过多久，一系列新型宝石就被采纳进了珠宝设计，成品还展示在巴黎沙龙中，这其中有一些是半宝石，但更多的只是有色宝石，包括玉髓、绿玉髓、锆石、紫水晶、蛋白石、托帕石、玉石和玛瑙等。这些平价的宝石原料能够以假乱真，模仿昂贵珠宝的效果。而这场改革也并没有仅仅止步于此，因为莱丽克[Lalique]对许多非传统材料做了大量实验，发现了犀角和玳瑁等可以雕刻与做旧的材料。象牙也成了世纪末装饰运动中的珠宝匠常用的材料，常被用来进行精细雕琢和衬托展示。

同样对于新艺术运动十分重要的，是对文艺复兴时期的珐琅工艺的复兴。在尤金·菲亚特[Eugène Feuillâtre]、安德鲁·特斯马[André Fernand Thesmar]、乔治·福格[Georges Fouquet]以及名噪一时的莱丽克手下，这种工艺在1900年风靡一时，大受好评。工匠们不仅用珐琅来复制宝石的色泽，而且着了色的珐琅在制作人物肖像时，能实现惊人的逼真效果，还能传达深邃、清澈、晶莹等细腻感受。在掌握了当时日本工匠所精通的三种珐琅工艺：镂空珐琅[plique-à-jour]、内填珐琅

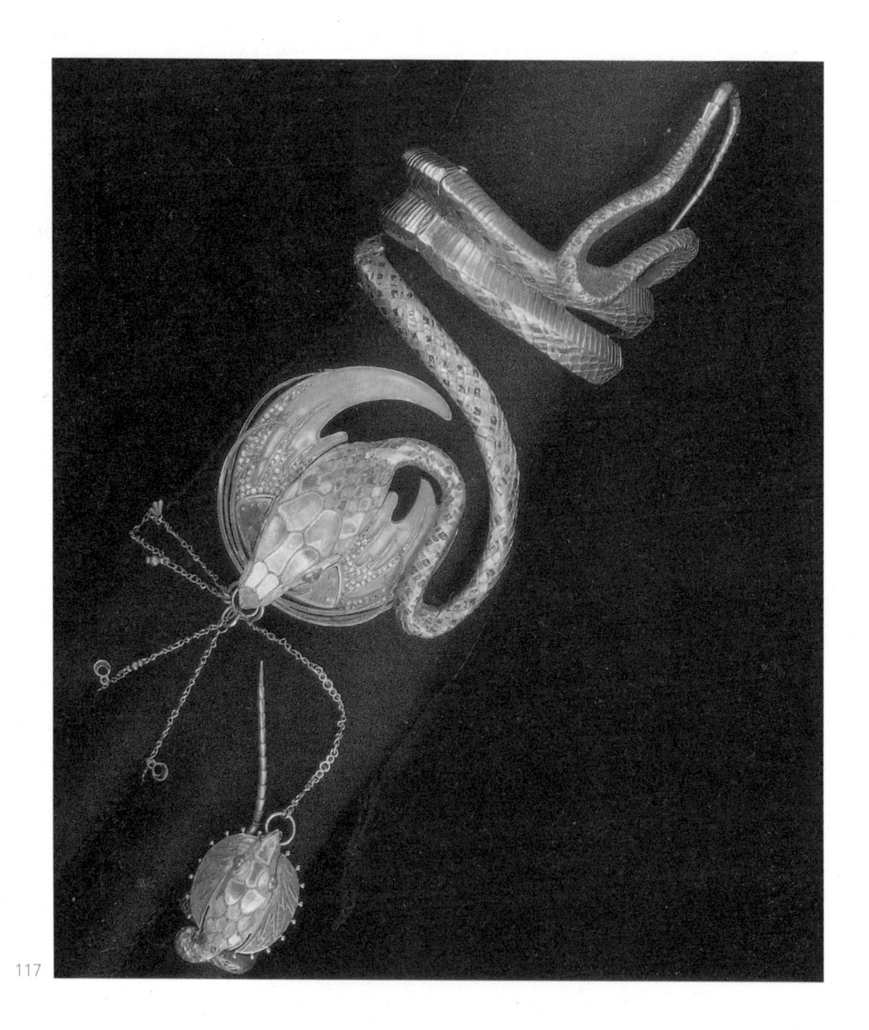
117

[champlevé]和掐丝珐琅[cloisonné]之后，欧洲工匠们开发出了更多的相关技术应用。

使用廉价替代品来取代贵重珠宝的做法，使得时装珠宝的价格远远低于高级珠宝。这也为珠宝行业吸引了更多低消费能力的客户群体。比如有很多原本因为天价珠宝而对这个市场望而却步的艺术鉴赏家，也

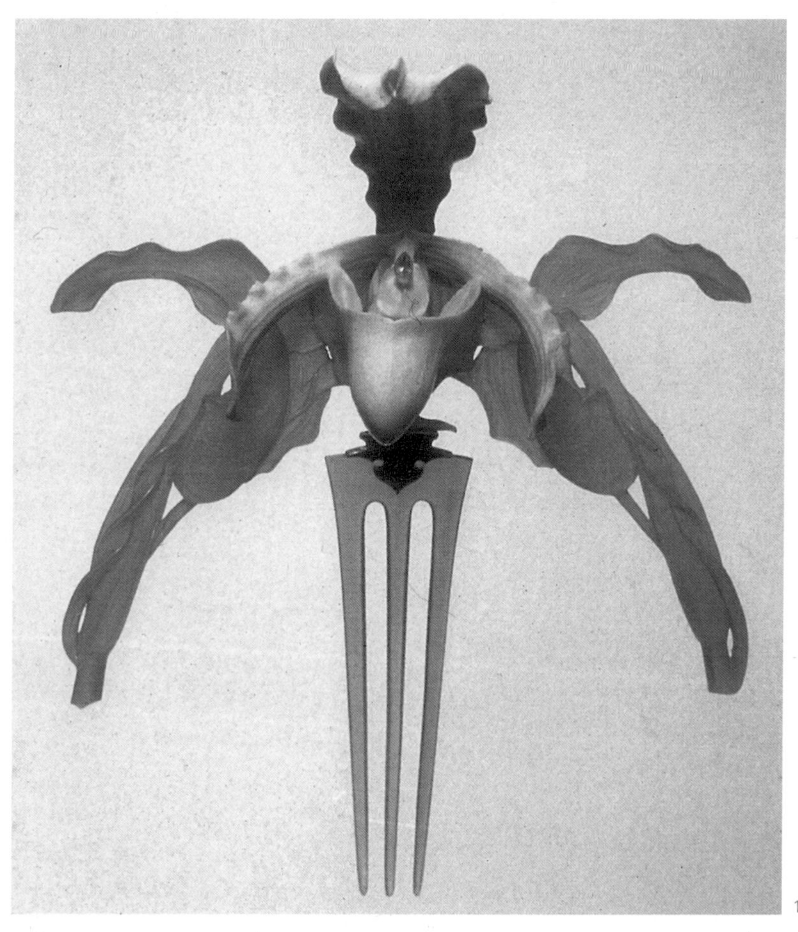
118

开始频繁光顾巴黎沙龙，寻觅他们能够消费的珠宝首饰来购买收藏。

1900年的万国博览会，见证了法国珠宝行业的辉煌。毋庸置疑，

117. 乔治·福格，黄金蟒蛇手镯嵌珐琅蛋白石、红宝石、钻石，为莎拉·贝恩哈特定做，1899年。**118**. 雷尼·莱丽克，兰花头饰，黄金、象牙、犀角、黄玉，约1903年。

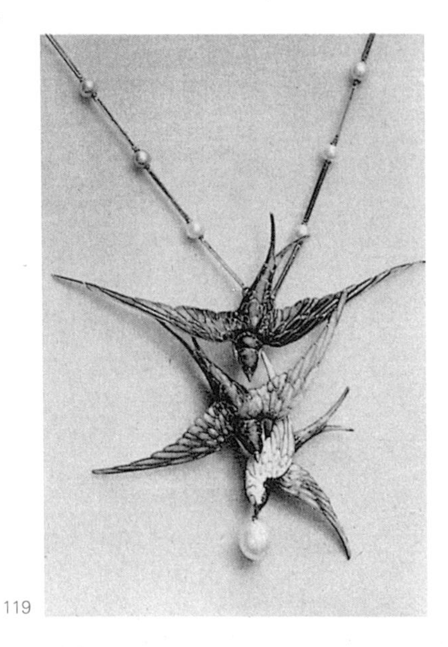

119

120

在博览会上独领风骚的当属雷尼·莱丽克[René Lalique]。早在1895年的法国艺术家协会展览上，莱丽克就因为所展示的17件珠宝作品和4幅设计草图一举成名，吸引了众多评论家的目光。他所采用的自然主义风格设计，以及大量从未在传统珠宝行业中出现的新材料引发了激烈的探讨。人们模模糊糊地感知到：一场真正的现代改革即将来临。两年之后，莱丽克在布鲁塞尔博览会上展出的作品，更是巩固了他在这场“新艺术”中的先锋地位，但一直要等到1900年，法国公众才大规模地见识到了莱丽克的光芒，并开始真正认识到，这是一个多么伟大的天才。

在本书有限的篇幅中，实在无法详尽叙述莱丽克的珠宝具有多么令人瞠目结舌的原创性，多么充满侵略性的美感，在技巧上又是怎样的

119. 卢西恩·盖拉德，黄金嵌钻石挂坠，镂空珐琅，约1902年。

120. 卢西恩·高特雷和里昂·加尤，黄金珐琅挂坠镶钻石、黄玉和绿宝石，约1900年。

巧夺天工（图114、图118）。已经有许多相关出版书籍，主题都是关于这位时尚珠宝匠和水晶大师的。他是那个时代独一无二的珠宝天才，他的成就与地位就好比文艺复兴时期的切利尼[Benvenuto Cellini]。在这里必须强调的是，莱丽克是法国珠宝界新艺术运动真正的发起者，并且从一开始，就是这场运动中的领军人物。是莱丽克第一个站出来，推翻了当时由钻石所统领的珠宝世界。

莱丽克的声望毫无意外地吸引了大批效仿者，但其中只有一小部分人的作品达到了同样的艺术高度：这其中最著名的是乔治・福格[Georges Fouquet]（图117）、卢西恩・盖拉德[Lucien Gaillard]（图119）、夏尔・布泰・德・蒙韦尔[Charles Boutet de Monvel]和亨利・维弗（图113）。所有这些工匠们设计的图样风格都十分相似，除了布泰・德・蒙韦尔（图121），他经常会出格发挥，创作一些梦魇般恐怖主题的珠宝，但今天看来实在是不适合用作个人装饰品佩戴在身上。另外还有一个莱丽克风格的追随者，叫卢西恩・高特雷[Lucien Gautrait]（图120），关于他，除了知道他的设计稿是交由巴黎珠宝匠里昂・加尤[Léon Gariod]打造实现以外，我们对他的其他方面所知不多。

另一种完全不同的现代珠宝风格，是由宾的新艺术之家和迈耶-格拉斐的现代艺术之家所雇用的顶级设计师所贡献的，这包括：爱德华・科隆纳（图122）、乔治・德・弗尔、莫里斯・杜福伦、保罗・福洛和伊曼纽尔・奥拉齐等人。他们设计的珠宝，灵感显然来自于抽象的回旋线，以及凡・德・威尔德和他的比利时同僚们所喜爱的那种藤蔓卷草纹。

1900年的时装珠宝匠们所喜爱采用的装饰纹样，和他们在其他领域的设计师同僚们基本一致，尤其与家庭装饰和陈设摆件的题材高度统一。这些装饰题材多半都是新艺术风格的，包括户外花卉写生和衣裙飘

121

122

飘又充满肉欲的少女形象。有时候女人和自然会被结合在一起，构成女人花或蜻蜓女[femme-libellule]的混杂形象。而历史故事中关于蛇蝎美人[femme fatale]以及莎乐美和丽达之类传奇女子的现代文学演绎，也将她们的身形面容带进了各种珠宝设计。与此相似并行的，是现实生活中的一些名流女伶，如洛伊·富勒[Loïe Fuller]和莱奥·德·梅罗德[Cléo de Mérode]的样貌，也被制作成了各种各样关于理想女性形象的配饰。

自然题材的装饰被处理得更为出色。尤其是法国的乡村风景，给法国的珠宝工匠们提供了无穷的灵感。常见的一些园艺植物花卉，如勿忘我、鸢尾花、小雏菊、蓟、绸缎花、槲寄生和紫藤花等，都以细腻感

121. 布泰·德·蒙韦尔，挂坠，1903年。

122. 爱德华·科隆纳，黄金绿珐琅挂坠配珍珠串吊坠，约1898年。

性的方式被采用进了珠宝设计，有的是以整株植物为造型，有的则是将植物的细节部分放大作局部特写，比如花蕊和花冠。就连一些不起眼的农作物，像小麦和大麦之类的，也骤然被捧上了一个高雅的艺术层面。

关于高级珠宝和时装珠宝之间的形式差异，常常被风格追随者们所刻意模糊，为的是在两者之间找到一个能够同时取悦两边顾客的中间地带。尤其是一些传统老牌大珠宝品牌，在追寻现代语言的路上，一直试图同时纳入这两种风格。而当其他领域的艺术家与设计师也纷纷投入珠宝设计时，所谓的风格差异也就越发模糊了，尤其是在时装珠宝界。

123

123. 阿方斯·穆夏和乔治·福格，紧身胸衣饰品，珐琅金、绿宝石、巴洛克珍珠和珍珠母贝上水彩，约1900年。

各种各样混杂的珠宝设计风格不断涌现，每一种都有自己的特征与个性。其中有一种尤为出色的品种被叫作画家珍宝[bijoux de peintres]，这种首饰的中间主体部分，是在象牙或其他材料制成的平面上完成的小画，周围镶嵌着各种昂贵的珠宝材料。平面艺术家阿方斯·穆夏就为福格创作了一系列嵌有微型肖像画金币的珠宝，上面绘制着一些慵懒困倦的少女形象（图123）。穆夏的创造大胆新颖，而且充满了戏剧张力，这种戏剧感不仅仅在说首饰本身：因为他创作的这个系列大多尺寸极大，并不适合日常佩戴，只有穆夏最负盛名的客户莎拉·贝恩哈特在舞台演出时佩戴才正合适。

另一种时装珠宝的变体是纪念章珠宝（在当时被叫作纪念章胸针[broche-medaille]或者纪念章珠宝[medaille-bijou]）。这种首饰通常是刻有浅浮雕的黄铜或黄金铸造胸针，上有新艺术风格的林中女神和夜行鬼怪之类的形象。制造过这种首饰的包括朱尔·德布瓦[Jules Desbois]、埃德蒙·贝克[Edmond Becker]（图116）、维克多·普鲁威[Victor Prouvé]、查尔斯·里富[Charles Rivaud]等。在今天看来，这种首饰更多被看成是一种精巧古朴的纪念物，而不是真正严肃的当代珠宝设计。

藏在美好时代传奇和光环之下的残酷真相是：当时人口的大多数仍然处于社会地位低下、收入微薄、吃不饱穿不暖的状态。法国工人阶级日复一日单调枯燥的生活中，根本没有诸如新款珠宝或是圣日耳曼郊区的高级女装订制之类纸醉金迷的时尚享乐。所谓的“整个巴黎”[Le tout Paris]仅仅指的是这座都会城市中“至关重要”的一小部分居民，也就是那些享有爵位和财富的上层社会名流，他们的音容笑貌被乔瓦尼·博尔迪尼[Giovanni Boldini]、乔治·克莱兰[Georges Clairin]、雅克-埃米尔·布兰切[Jacques-Emile Blanche]等艺术家所捕捉，并永远凝固在了画布之上，供后人瞻仰。正是这些在日常社交生活中听歌剧，上马克西姆餐厅，前往布格涅森林观看赛马，乘坐马车观光游览的上流社会成员，才赞助了当时的珠宝匠们展开了激烈竞争。就算加上在这些贵族成员身边混迹的门客随从，包括那些女演员、交际花和宫廷情妇们，真正能够影响到当时的时尚标准与潮流趋势的人数，不超过5000个。但这群人的任何一个小举动，任何一点风流韵事，都会被画进当时的热销期刊，比如《画报》《名利场》《闲谈者》之类的杂志中，然后让人群中剩下的人们疯狂迷恋并追捧不已。

世纪之交的巴黎的珠宝匠们，从这座城市一流的女装设计师处学习并汲取灵感，包括查尔斯·弗雷德里克·沃斯[Charles Frederick Worth]、雷德芬[Redfern]、捷克·杜塞[Jacques Doucet]，以及从1910年开始名声大噪的保罗·波烈[Paul Poiret]。时尚界每一次更新换代，都促使珠宝匠人们低头检视自己的现有设计：举个例子来说，低胸领口设计会大面积露出脖颈和肩膀，这促使一系列的短项链和挂坠项链应时而生。无袖裙的设计会露出整段手臂，相应的手镯和臂环也被推上了市场。与此相反的是毛皮袖套，它遮住了双手、手腕和整个小臂，因此会削减手镯与戒指的销量。维多利亚式的裙撑有大片的绸面和薄纱，可以用来展示胸饰和全身佩戴的成套珠宝；但后来，当保罗·波烈将鲸骨裙撑从他的时尚名单中划去之后，这些在视觉上显得过于沉重的珠宝立刻成了过时之物。新的时尚强调新的女性轮廓。一夜之间，裙子变得狭长、窄幅、简约无装饰，因此相应的，一系列低调而不张扬的小件珠宝首饰立刻受到了大力追捧。

不断变化的发型和帽子样式，也影响着珠宝的形式与功能。长发和软帽使女人需要别针来固定它们，但长发也会遮住耳朵和耳环。相反，精心打理过的短发，如盘起的发髻或者波波头，就会露出耳朵和脖颈的曲线。蓬松而高耸的发型鼓励女人们佩戴带状头饰、冠冕、精美的梳子以及各种发间饰品。

传统的高级珠宝在美好时代存活了下来。在第一次世界大战之后，宝诗龙、卡地亚[Cartier]、尚美[Chaumet]、梵克雅宝[Van Cleef & Arpels]等品牌设计了一系列镶满宝石的装饰艺术风格作品，这些作品的成功为高级珠宝带回了一些往日的荣光。但在世纪之交的时刻，对于它的竞争对手来说，高级珠宝更多只是一种身份和地位的象征，而不是好的设计：一颗钻石的大小和亮度并不能完全决定这件珠宝是否称得上是艺术品；精湛的工艺也是做评判时的重要因素之一。

在1900年到1905年间，大量的新艺术风格珠宝涌向了巴黎沙龙。不难预见，这种供大于求的市场泛滥迅速将这场运动引上了末路，同样遭受灭顶之灾的还有时装珠宝。莱丽克那些美得令人窒息的创造，被模仿抄袭成了大量粗俗无灵魂的劣质仿品，这让喜欢新艺术风格的爱好者们产生了幻灭。至于那些根本没喜欢过这种新艺术形式，只是因为赶时髦而强迫自己去拥抱这种美好时代风格的人们，更是迅速逃离了现场。

在法国之外的欧洲，各国的现代主义珠宝匠人们，大多从巴黎的先锋派身上学习并起步。比如德国的青春风格珠宝设计，一开始展现出了对花卉植物造型的强烈偏好（19世纪90年代末），后来才逐渐发展出一种更有民族特征的抽象线性风格（1900—1910年）。巴登的罗伯特·科赫[Robert Koch]，慕尼黑的卡尔·罗斯穆勒[Karl Rothmüller]以及艺术家威廉·卢卡斯·冯·克拉纳赫[Wilhelm Lucas von Cranach]（图124），都曾经创作过花丛中长发飘飘的时髦少女图像。但一段时间之后，许多德国的珠宝匠们都开始采用一种更为保守的新艺术风格。比如在柏林的珠宝界，一些古典样式和纤长的植物纹样融合在了一起，这显示出一种对布鲁塞尔风格的偏爱远胜于巴黎风格。

在1900年前后，位于黑森林地区边缘的城市普福尔茨海姆，成了德国珠宝行业的中心。当地的制造厂向国外市场提供各种各样的商业订件，青春风格只是无数选择中的一种。普福尔茨海姆生产了大量用料廉

124. 威廉·卢卡斯·冯·克拉纳赫，珐琅金胸针镶巴洛克珍珠、钻石、红宝石、紫水晶和黄玉，1900年。

124

价且样式俗气的产品，比如用杂银和不列颠锡锑铜合金制作的景泰蓝饰品。在普福尔茨海姆，特奥多尔·法纳[Theodor Fahrner]和F.策伦纳[F. Zerrenner]开设的珠宝首饰工厂以低廉的价格和强烈的新艺术风格而闻名。但在德国的另一个珠宝业中心哈瑙镇，钻石首饰则占据了主流市场，力压这场新运动与其提倡的廉价材料。

达姆施塔特市的艺术家村中，不少珠宝设计师们追求着一种简单朴素的维也纳分离派装饰风格，这其中包括帕崔·胡贝尔、彼得·贝伦斯、路德维·哈贝奇和汉斯·克里斯蒂安森等人。奥布里希设计的胸针和项链挂坠，也给了他灵感去设计建筑中强调垂直线条的装饰部分。

在维也纳，由维也纳工坊出品的珠宝首饰则完全复制了他们在家装配饰中的设计，比如首饰盒和手持镜系列。干净利落的几何轮廓线中，巧妙地嵌入了方块、螺旋线、盘线、涡旋线和心形树叶等造型，有一种英国艺术与手工艺运动般的风格。他们所偏爱的材质是纯银以及镶嵌了椭圆半宝石和珍珠母贝的镀金银器。

奥地利生产的现代风格珠宝可谓寥若晨星。其中最重要的当然是约瑟夫·霍夫曼（图125）和科罗曼·莫塞尔的设计，而莫塞尔的作品风格更明显一点。其他也为维也纳工坊设计过珠宝的人包括贝托尔德·洛夫勒、奥托·普鲁彻、卡尔·魏慈曼[Karl Witzmann]和爱德华·维默尔[Eduard Wimmer]。而稍逊色一些的作品，就是由工艺美术学校[Kunstgewerbeschule]的学生和教员所留下的了。

只有两家奥地利工坊看起来曾加入过法国的新艺术运动：分别是豪普特曼[A.D. Hauptmann]和洛赛翡舍[Roset und Fischmeister]。古斯塔夫·戈仕纳[Gustav Gurschner]将他新潮的人像雕塑做成了迷你微缩版本，点缀在一些个人装饰品上。

在整个欧洲，只有一位珠宝匠兼金匠能够与莱丽克相提并论，那就是比利时人菲利普·沃尔弗斯[Philippe Wolfers]（图126）。在世纪之交，沃尔弗斯创造了一系列让人神魂颠倒的新艺术珠宝首饰和贵重摆件，大多都曾经在巴黎沙龙展览过，或许也是对法国时装珠宝匠人发出的直接挑战。沃尔弗斯以过人的天赋，将珐琅金银和宝石、半宝石以及象牙搭配糅合在一起，并采用了大量新运动中最放浪骇人的题材作为他的艺术品主题，比如罪恶的夜行动物和神话中的女妖美杜莎。尽管受到了法国人的影响，沃尔弗斯的风格依旧具有强烈的个人特征和原创性。可惜的是，他遭到了其他比利时艺术家和设计师的无视，因为他们普遍更偏爱凡·德·威尔德的那一套。

凡·德·威尔德设计了一系列风格优雅的珠宝，是镶嵌了紫水晶

125. 约瑟夫·霍夫曼，镀金银项链嵌黄水晶，维也纳工坊打造，约1904年。

125 ▶

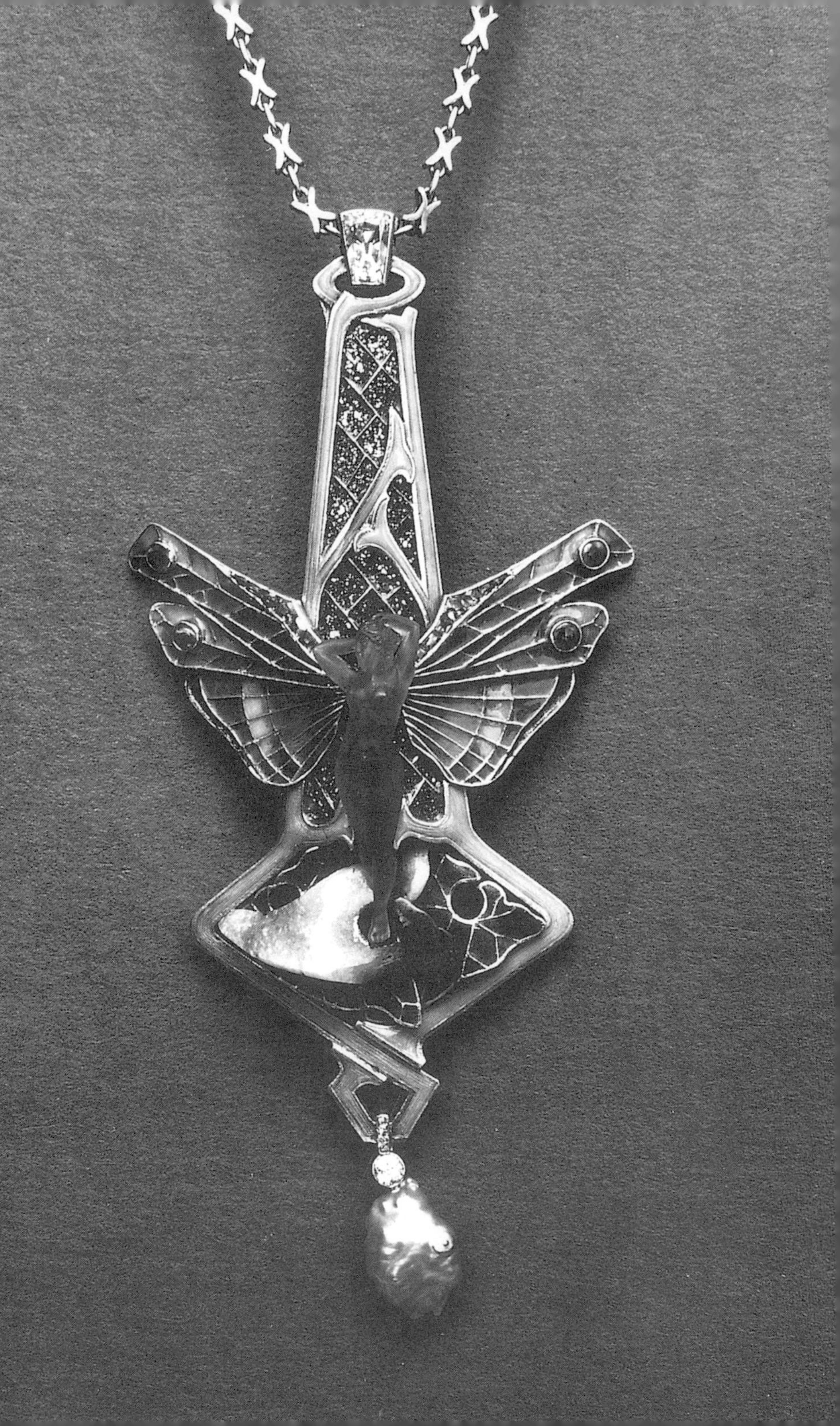

◀ 126

126. 菲利普·沃尔弗斯，《夜》，挂坠，1899年。

127. 路易斯·马斯里拉，黄金首饰，1900—1905年。

127

和祖母绿的金银首饰，当中运用了大量简洁流畅的线条，这些线条通常翻滚回旋，构成充满视错觉感的闭环形状。

布鲁塞尔珠宝匠人保罗·杜布瓦[Paul Dubois]和利奥波·凡·斯特拉邓科[Leopold van Strydonck]，是众多凡·德·威尔德风格模仿者中的两位，利奥波还是二十人展成员之一。

斯堪的纳维亚的珠宝工匠们，在世纪之交的时分大多并没有被新运动所影响。但其中有一个例外，就是乔治·詹森[George Jensen]。詹森以一种精简的手法改造了新艺术风格，他呈现的图案和形象拥有一种宁静而诗意的简洁。他手下的珠宝大多被打磨成了圆形，点缀着椭圆形的琥珀、月光石和其他平价彩宝，与他形状扁平的银饰设计遥相呼应。

同样在哥本哈根，对詹森个人风格形成过程曾产生巨大影响的金银匠，是莫根斯·巴林[Mogens Ballin]和托瓦尔·宾德斯布[Thorvald Bindesboll]。在他们的珠宝作品中，曾经出现过一系列风格相似的现代首饰设计。

在遥远的欧洲南部，在巴塞罗那，西班牙唯一的新艺术风格拥戴者路易斯·马斯里拉[Luis Masriera]（图127）是又一个臣服于莱丽克魔咒之下的信徒。当马斯里拉参观完1900年的万国博览会并回到国内之后，突然裁撤了家族作坊中所有传统珠宝的生产，引入了一个全新的现代风格莱丽克系列。但他成功地保持了鲜明的个人风格，他设计的世纪末风格图像、中世纪少女和花卉等图案，都用圆雕或浮雕的方式，呈现在纯金的衬底之上，周围嵌着镂空珐琅的饰板和熠熠生辉的小粒珠宝。马斯里拉所设计的珠宝（大多是项链吊坠和胸针）有一个特别吸引人的地方，就是他对于节点元素的巧思。比如他做的蜻蜓翅膀，在连接点做了特别的设计，当佩戴在身上时，这对蜻蜓翅膀能够像真的翅膀一样微微震颤，栩栩如生。

在英国，利伯提百货公司[Liberty & Company]（图128）设计的珠宝和这个国家在其他艺术品中表现出来的现代风格是一脉相承的。交错打结的凯尔特风格复古纹样出现在首饰中——与这家公司生产的威尔士风格和都铎风格的银器、锡器仿佛是同一个系列的，首饰周围还镶嵌了着色的孔雀珐琅装饰片以及绿松石之类的椭圆形半宝石。来自阿奇柏德·诺克斯[Archibald Knox]的珠宝设计作品，与奥利弗·贝克[Oliver Baker]、贝纳德·卡兹纳[Bernard Cuzner]、雷克斯·斯尔福[Rex Silver]等人的设计作品交替上架。著名的格拉斯哥书籍设计师和平面艺术家洁西·金[Jessie M. King]也为利伯提百货公司设计了珠宝，这批作品是她最擅长的蜘蛛网风格。利伯提珠宝有金饰和银饰之分，均

128. 阿奇柏德·诺克斯和黑斯勒工坊为利伯提公司设计的，黄金编织珍珠母贝项链，约1902年。

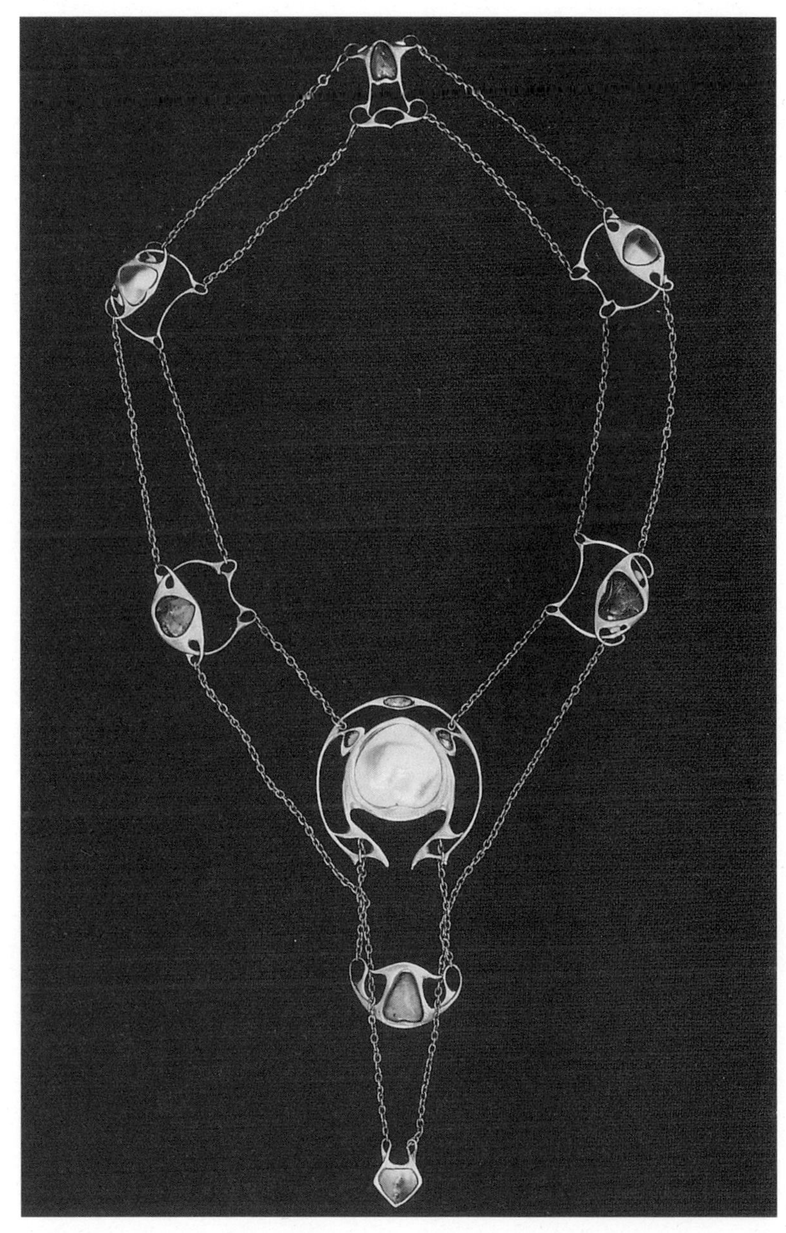

128

由伯明翰的黑斯勒工坊[W.H. Haseler & Son]打造。

许多独立的英国珠宝匠和珠宝设计师，都在寻找一种让人耳目一新的风格，以求和维多利亚晚期死气沉沉的传统复古主义进行对抗。然而他们中的大部分人，例如阿什比（图129）、盖思金夫妇[Arthur and Georgie Gaskin]、艾拉·尼泊[Ella Naper]和费德里克·帕特里奇[Frederick James Partridge]等人，所创作的作品都更接近于艺术与手工艺运动，而不是欧洲大陆盛行的新艺术风格。他们的关注点并非一场令人生疑的国际装饰艺术流行风潮，而在于产品的手工艺（以及随之伴生的社会意识形态）。在许多设计实物的案例中，这两个运动之间的差别都难以区分辨认：因为两者都反对历史主义，追寻着一种简洁对称的精雕细刻的精神。批量生产新艺术风格珠宝的生产商，在全英国只有一

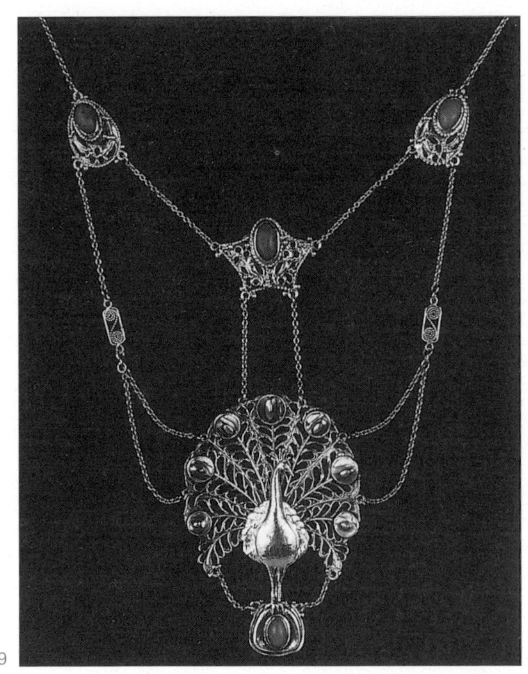

129

129. 阿什比，用纯银、黄金、珊瑚和黑色珍珠母贝制作的孔雀项链，约1900年。

130. 昂格尔兄弟和威廉·克尔，大批量生产的银制胸针，约1900年。

130

家：那就是哈利法克斯市的查尔斯·霍纳[Charles Horner]。

跟随着欧洲大陆和英格兰的步伐，美国的珠宝产业在1900年左右也开始拥抱新艺术运动。在此之前的20年里，美国珠宝产业盛行的一直是日本风和埃及风。美国的两大珠宝制造产业中心，罗德岛州的普罗维登斯和新泽西州的纽瓦克，为开始对时尚逐渐感兴趣的中产阶级和商人生产了大量低成本的新艺术风格首饰，包括胸针、皮带扣、项链挂坠、腰带扣、长柄眼镜、梳子和发夹等。用低档银料开模压制的美好时代少女银饰，一头丰盈飘逸的秀发打着弯勾勒出了少女的脸部轮廓，这是为大众市场所设计的产品。在流行银饰品界，最大的生产商是昂格尔兄弟[Unger Brothers]和威廉·克尔[William B. Kerr]（图130）的公司。而另一个银饰品大生产商，普罗维登斯的戈若姆公司[Gorham Corporation]，创作了一系列现代风格的纯银、镀银和铜制首饰，造型奔放有力，似从手工艺复兴的思想浪潮中获得了不少灵感。

纽约的马喀斯公司[Marcus & Company]和芝加哥的孔雀公司

131

131. 路易斯·蒂凡尼，带有葡萄和葡萄藤纹样的项链，纯金、珐琅彩、蛋白石，约1904年。

[Peacock & Company]生产了一系列用料更上等、更有设计感的品质之作。他们创作了一系列灵感源于法国新艺术风格的花卉纹珠宝，尤以在首饰中大量运用色彩鲜亮的珐琅而著称。

路易斯·蒂凡尼（图131）在他的父亲于1902年辞世之前，就开始涉足艺术珠宝界了。此后，他被任命为蒂凡尼公司[Tiffany & Company]的艺术总监，同时他还管理着自己名下的装饰艺术公司——蒂凡尼工坊[Tiffany Studios]。这次正式的任命，让蒂凡尼和家族珠宝企业之间的联系纽带增强了，也给了他更多机会去熟悉和了解珠宝的制造过程。然而，蒂凡尼一如既往地低调，他私下完成了自己的第一次珠宝设计实验，至今我们仍不知晓他和蒂凡尼公司之间的合作到底达到了怎样的程度。

蒂凡尼雇用了茱莉亚·雪曼[Julia Sherman]来监管他的珠宝制造，他要求雪曼用她自己的名字来登记配料进货，这样就能隐去蒂凡尼参与的痕迹了。在曼哈顿23街上有一家小小的工作室，在那里雪曼和她的手下负责将蒂凡尼设计的珠宝手稿打造成真实的首饰作品。早期的几件作品是手工锻造的，呈现出一种粗犷，甚至可以说是简陋的风格，这和蒂凡尼公司一贯生产的传统珠宝气质极为不同。更大的分歧在于他的选料，他抛弃了蒂凡尼公司标志性的大颗宝石和繁复华丽的镶嵌工艺，更偏爱平价宝石和珐琅工艺。蒂凡尼喜欢采用价格低廉的墨西哥蛋白石、碧玺、珍珠、翠榴石和红玉髓等原料。就和莱丽克一样，他设计的珠宝的价值在于其艺术性和美妙色彩，而不是在于宝石本身的固有价值。蒂凡尼最喜欢的珠宝题材是自然而有机的：包括蒲公英、野胡萝卜、葡萄串、白英果、黑莓和野胡萝卜花等。

第八章｜金银器与艺术品

世纪之交的银器制造业选择了因循守旧的保守姿态，而不是推陈出新的冒险做法。反复出版重印的古老纹样图谱书是这种绵延百年的传统样式的来源，人们根本无须去寻找一种新的装饰图案。即使整个产业经历了现代科技的全面改造，但正统思想依旧占据着其中的主导地位。

巴黎这个城市，持续吸引着这个时代最杰出的银匠和金匠们。这个群体中的许多人，比如雷尼·莱丽克（图134）、宝诗龙家族（图133）、奥科克家族[Aucoc]和林兹丽家族[Linzeler]，都以在隔壁珠宝界中的显赫名声更为世人所知。连续四届巴黎沙龙展为法国的银器产业提供了最好的指向标，这些沙龙展不仅能时刻检测着产业的发展动向，而且能展示每位业内成员的独立成果。在1900年到1905年间，一件又一件工艺精湛的银器作品在巴黎沙龙展上展出。然而观看之后的结论却很简单，无论是独立工匠还是大品牌生产的艺术品摆件[objects

133

134

132. 费尔南德·特斯马，杯子，镂空珐琅纯金对杯，约1900年。

133. 卢西恩·赫兹为宝诗龙作，银水壶，约1900年。

134. 雷尼·莱丽克，象牙和银制酒杯，1901—1903年。

d’art]，在视野和规模上，都将其他领域中已然发生的那种以新艺术命名的粗俗实验拒之门外了。

虽然抗拒变化，法国银器制造业还是在犹豫中试用了一些新艺术样式的图像。巴黎金匠协会[La Société Parisienne d’Orfèvrerie]的成员和一些著名的大公司，比如卡德莱克[Cardheilac]、奥科克、克里斯托夫勒[Christofle]、宝诗龙和凯勒[Keller]等，在他们多种多样的艺术品风格中，也生产了一些数量有限的新艺术风格银器和古董。不过整体来说，银器制造者们在对新材料的接受和采纳方面，表现出了更多的冒险精神——而这一点事实上莱丽克已经宣传并实践了许多年。在金银器的制作过程中，宝石和半宝石、贵金属和合金混合在一起，还加入了许多不常见的材料，如珐琅、珍珠母贝、犀角、玳瑁和漆器等。

伟大的莱丽克在装饰艺术界，还留下了一系列奢华的家用器具装饰设计，包括分层饰盘[épergnes]、镜子、多层箱等。和他的其他作品

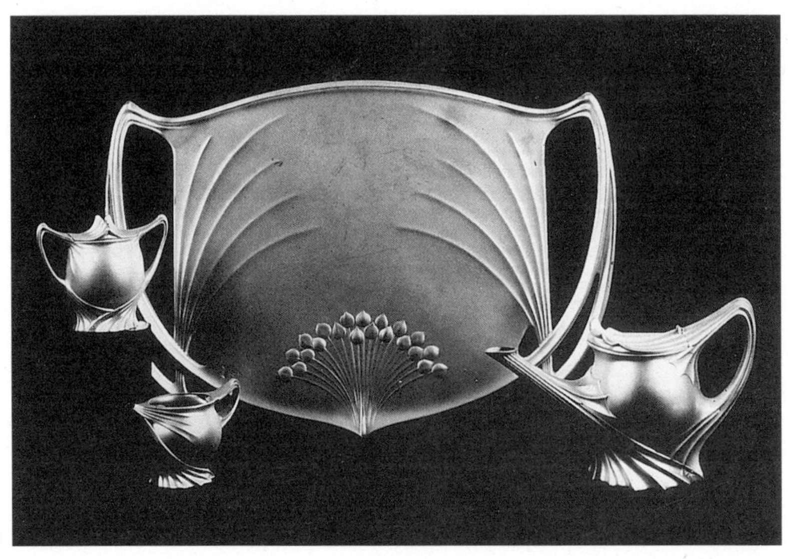

135

136

一样，这些家居用品都有着典型的莱丽克个人特征——无可比拟的精致造型和登峰造极的工艺技法。但在1900年这个时间段，莱丽克的主要兴趣还是在珠宝设计上，他在这方面取得的成就，我们已经在本书的前一章叙述过了。

卢西恩·盖拉德[Lucien Gaillard]（图137）是又一个既担任时装珠宝匠，又担任金银匠的新艺术风格艺术家与设计师。盖拉德从昆虫学和动物学中大量汲取创作主题的灵感，他将许多自然界最微渺，甚至最丑陋的生物——比如独角仙、螳螂、各种各样的爬虫、蛇以及爬行动物的形象，都转化成一系列优雅的花瓶、雪茄盒和家用器皿，其中很多作

135. 保罗·福洛，银茶具，约1902年。

136. 亨利·胡森，盘子，青铜镀黄铜装饰，约1908年。

137

137. 卢西恩·盖拉德，独角仙花瓶，木底座青铜，约1905年。

品都有着日本式的审美趣味。盖拉德的天赋之一，在于他能够毫不费力地将金属、木头、犀角、铜绿等多种材质自然糅合在一起。而来自阿尔萨斯的亨利·胡森[Henri Husson]（图136），也是一个多才多艺的工匠，他为巴黎铸造厂与画廊主人席博拉[Adrien A. Hébrard]创作了大量新艺术风格的作品。

同样为席博拉服务的设计师还有卡洛·布加迪，这个古怪的意大利人关闭了自己在米兰的家具店后，于1904年搬到了巴黎。在他旅居法国首都的岁月里，布加迪为席博拉设计了一系列银器和镀金银器，这些器皿包括一大批古怪的神奇动物园系列：有奇异的大象、疣猪、鸵鸟和鳄鱼（图142），而在所有这些动物造型的头顶部位都悬停着一只蜻蜓。

其他频繁出现在沙龙展览的手工艺匠人们，将三种传统珐琅技法——掐丝珐琅、镂空珐琅和内填珐琅，纷纷引入了他们设计的工艺品

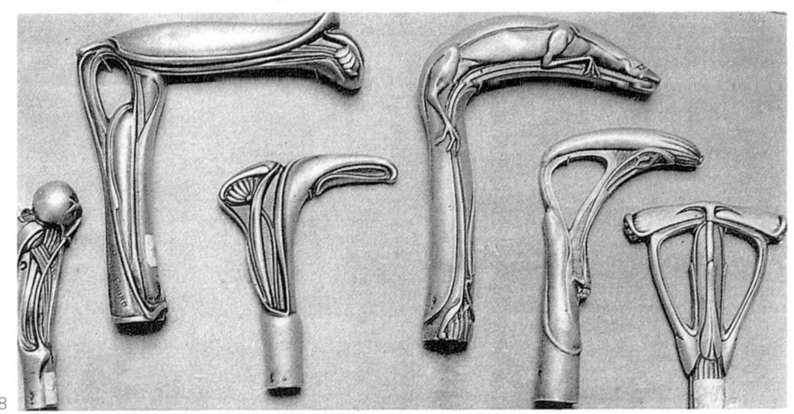

138

139

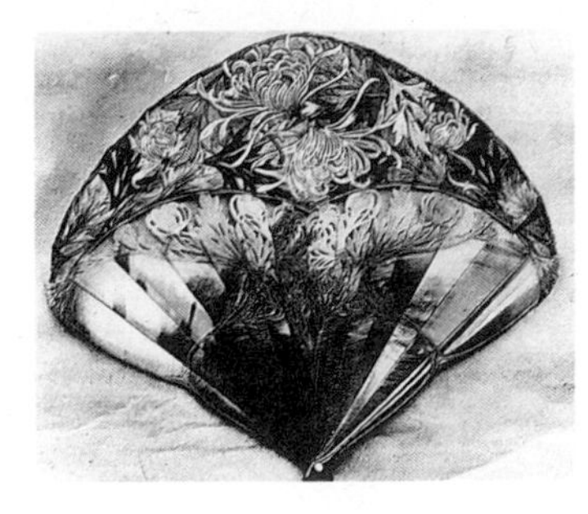

140

138. 乔治・德・弗尔，手杖柄把手，纯银，约1902年。

139. 阿道夫・楚非，壁饰烛台，镀金青铜镶孔雀石、紫水晶和绿宝石，1901年。

140. 乔治・巴斯塔，扇子，雕刻犀角镶嵌纯金和珍珠母贝，1906年。

之中。其中最著名的是尤金·菲亚特和特斯马父子[Fernand and Emile Thesmar]（图132）以及艾迪安·图艾特[Etienne Tourrette]。图艾特还将金属亮片嵌进珐琅中，加强了器物的反光质感。新艺术风格的珐琅器清一色全都做工复杂又珠光宝气，包括小碗、高脚果盘和梳妆盒等。

在1900年到1910年间，沙龙展中涌现了许多杰出的金银匠，包括朱尔·哈勃笛[Jules Habert-Dys]（图141）、卢西恩·赫兹[Lucien Hirtz]、乔治·巴斯塔[Georges Bastard]（图140）、卢西恩·邦瓦雷[Lucien Bonvallet]和瓦列里·毕慈华[Valéry Bizouard]。毕慈华担任了缇塔馆[Maison Tétard]的银器设计师，他的工艺技巧在第一次世界大战后逐渐走向成熟。

瑞士人让·杜楠[Jean Dunand]也是20世纪初在巴黎沙龙中崭露头角的一位金银匠。杜楠后来成了举世闻名的装饰艺术风格[Art Deco]金属工匠大师，但在20世纪初，杜楠擅长的是错金银技法，这是一种在（铜或黄铜的）金属底盘上用贵金属（金或银）镶嵌装饰的工艺。这种技法又被称作大马士革镶金法，以此来纪念这种历史久远的古老工艺曾经在大马士革获得的辉煌成就。

在英国，银器制造业却是少见的在这个时期接纳了新艺术风格。然而他们接受的态度实在勉强，完全避开了所有在欧洲大陆上风靡一时的花卉与抽象曲线造型，只采用了珐琅工艺和半宝石材料，这被当作是一种表达现代主义创作冲动的最好方式。同样获得英国人赞许的还有凯尔特复古主义纹样。不过无论在形式还是设计上，大量的银器产品都受到了传统样式的深深影响，要不然就是被烙印上了维多利亚晚期其余风格的痕迹，比如唯美主义思潮、日本风，或是严格提倡手工制造的艺术与手工艺运动风格。

141. 朱尔·哈勃笛，纯银镶珐琅鱼子酱罐，1905年。

141 ▶

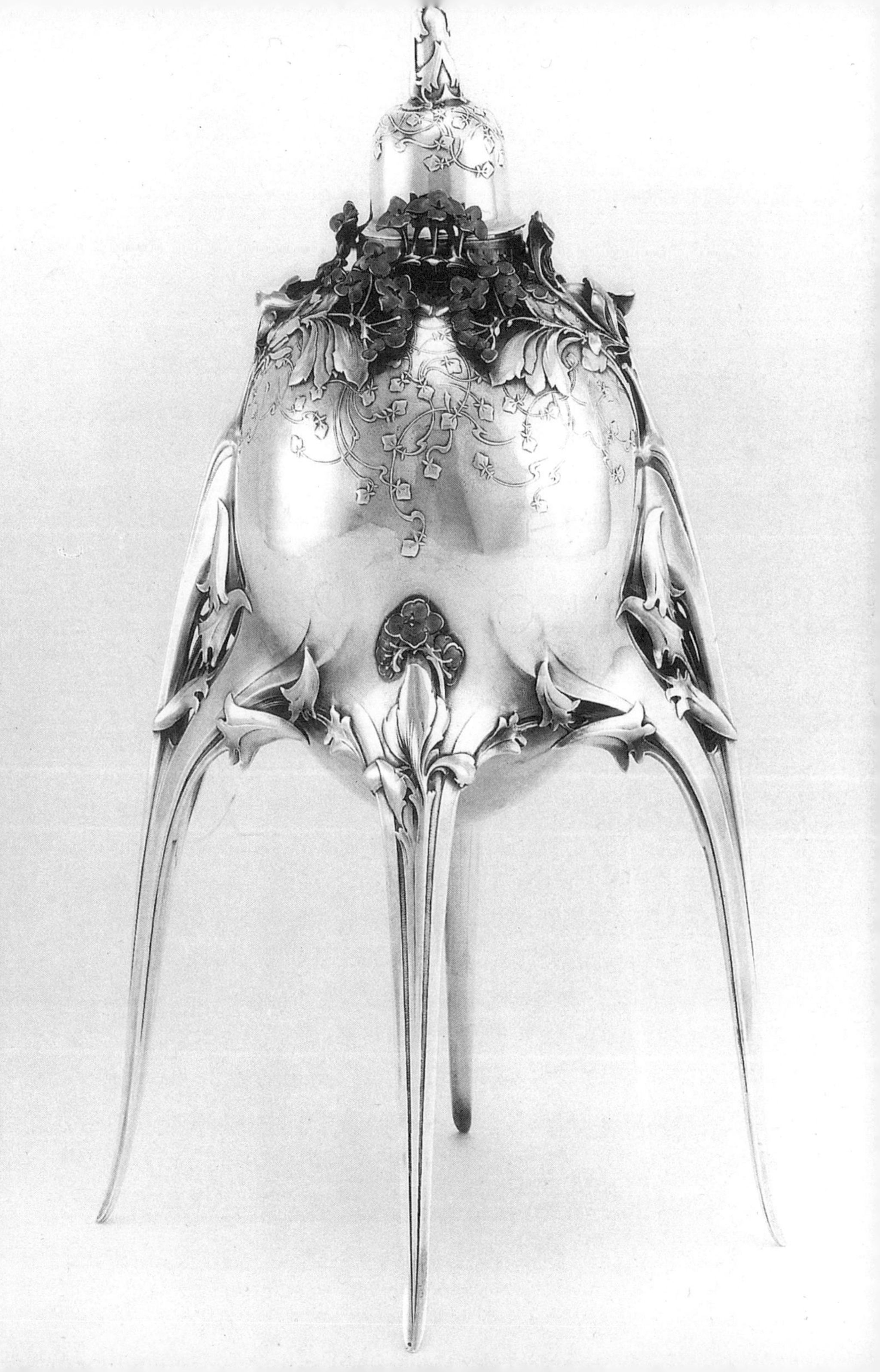

142

利伯提百货公司（图143）成了整个英国新艺术风格银器制造的巨头。他们生产的银器和锡器分别以品牌库姆利克[Cymric]和图德利克[Tudric]的名字进行销售，一经推出立刻获得了巨大的商业成功。利伯提公司显然对于自家产品经久不衰的魅力十分有信心，他们在摄政街上的百货公司中，还引入了一系列由欧陆竞争对手设计的器皿，包括俄里翁琴[Orion Zinn]、凯泽[J.P.Kayser & Sons]、奥瑞威特[Orivit]和华尔特谢夫[Walter Scherf & Co.]等品牌。

利伯提公司在1900年左右，生产了大量的库姆利克和图德利克家用金属餐具器皿，除了常见的小汤碗、洗礼纪念套装、饼干罐、点心盘、煮蛋器、浅口盘等，还生产了不少昂贵的礼品系列，例如体育比赛奖杯和潘趣大酒杯。而这些产品中最夸张最奢华的一些器物表面，还镶嵌了色彩鲜艳的珐琅，装饰着大量不同的椭圆宝石，包括绿松石、青金石、玛瑙、孔雀石、珍珠母贝和贝附珍珠等。因为库姆利克和图德利克系列金属器皿的风格总是高贵精致、优雅迷人，所以今天的新艺术古董收藏家们在市场上急切地寻找着它们的踪迹，就和那些在一个世纪前初次见到它们面世的人们一样。

142. 卡洛·布加迪，纯银镶象牙茶具，约1910年。

143. 阿奇柏德·诺克斯为利伯提公司设计的花瓶，镶嵌椭圆绿松石的珐琅银器，1904年。

143 ▶

144

利伯提公司曾明文规定，旗下产品的设计师不能署名、不能公布自己的身份。但他们中最富有才华的一些人我们如今已然知晓，他们是：阿奇柏德·诺克斯[Archibald Knox]（图144）、雷克斯·斯尔福[Rex Silver]、奥利弗·贝克[Oliver Baker]、塞西尔·阿尔丁[Cecil Aldin]、贝纳德·卡兹纳[Bernard Cuzner]，还有一位柯金小姐[Miss Coggin]。诺克斯当然是其中最重要的一位。诺克斯出生在英国的曼岛，他遍访岛上7世纪到11世纪时期残留下的十字架、墓地雕刻和符文纪念碑，从古老的凯尔特文化和曼岛文化中汲取灵感，发展出了一种充满想象力的奇妙装饰风格。诺克斯的设计中还显示出凯尔斯书带来的风格影响。另外还有1856年欧文·琼斯[Owen Jones]首次出版的《装饰法则》[*Grammar of Ornament*]，这本书中绘有不少交错复杂的纹饰图

144. 阿奇柏德·诺克斯，镶绿玻璃的图德利克锡碗，詹姆斯鲍威尔制作，1904—1906年。

案，在诺克斯的作品中也经常能见到它们带来的影响。

利伯提公司生产的大量金属器皿都交由伯明翰的威廉·黑斯勒[William H. Haseler]来制造。黑斯勒铸造了大量的金器和银器，同时也为其他供应商打造珠宝。他还为利伯提公司向詹姆斯鲍威尔[James Powell & Sons]订制的玻璃水壶和长颈醒酒器配上了锡制的图德利克手柄装饰。

除了黑斯勒的工坊以外，在世纪之交的时代，伯明翰整座城市都是银器制造和研究的中心。城市中的两所学校——艺术中心学校和维多利亚街珠宝银器工艺学校，都为当地学生提供了先进的技术设计指导。当学生完成学业顺利毕业之后，能够直接进入城市的手工艺协会就职，亚瑟·狄克森[Arthur Dixon]就在其中担任银器设计师的重要职位。在伯明翰以外，还有许多其他的制造商生产着和黑斯勒风格相近的新艺术风格银器，他们包括：谢菲尔德的詹姆斯·狄克森父子[James Dixon & Sons]、马平韦伯公司[Mappin & Webb]、威廉·哈顿父子[William Hutton & Sons]；伦敦附近有一座阿瑟·斯尔福[Arthur Silver]所经营的银匠工坊[Silver Studio]，后来又交由他儿子雷克斯·斯尔福经营，此外还有柯纳尔[Connell]和维克利维勒公司[Wakely & Wheeler]等等。

在伦敦有不少独立银匠和设计师，会间歇性地创作一些现代风格的器物，但大多也只是他们多变风格中的一条产品线。奥马尔·拉姆斯登[Omar Ramsden]和他的搭档、设计师阿尔文·卡尔[Alwyn C.E. Carr]，共同生产了一系列中世纪风格的银器，这些银器以造型多样和装饰繁丽而闻名遐迩。有的银器上还铭刻着拉丁文签名“拉姆斯登创造了我”[Ramsden me fecit]，这让人不由莞尔一笑，联想起19世纪末曾经轰轰烈烈的新古典主义浪潮。亚历山大·费希尔[Alexander Fisher]（图145）是又一个传统保守主义者，他曾是一个雕塑家，但以珐琅工

145

145. 亚历山大·费希尔，银杯，1905年。

146. 阿什比，台灯，镶紫水晶银底座，1900年。

艺而成名。著名的设计师和建筑师阿什比（图146）也曾经尝试涉足银器设计领域，传统和新式的图样他都采用过。在某件作品中，他使用了17世纪的鼠尾勺纹饰，而另一件作品，他用风靡欧洲大陆的新潮鞭绳卷纹来作为装饰元素。同样参与过这个时期银器制作的设计师还有吉尔伯特·马克[Gilbert Leigh Mark]，他喜欢用浮雕手法来创作一些花草意味的装饰纹样。此外还有尼尔森·道森[Nelson Dawson]，他曾跟随费希尔学习珐琅工艺，并在1901年成立了巧匠工会[Artificers' Guild]。所有这些设计师们，都将自己的银器设计稿交付给同一个工会中的技术工匠们来实现。这些工匠们打造的新艺术银器自身有着鲜明的特点，这些银器都有着自由奔放的鲜亮珐琅镶嵌，表面刻意追求锤子和刻刀雕琢的痕迹，以此来刻意强调纯手工制造的粗犷风格。

146

克里斯托夫·德雷瑟[Christopher Dresser]在19世纪晚期曾设计了一系列家用器具，预言了20世纪现代运动的到来——这些作品并不是新艺术风格的，而是直接跳过了它，超前实现了20世纪20年代到30年代的立体主义和功能主义。德雷瑟生产了一整套去装饰化的工业产品，它们的造型来自于菱形、立方体、三角形和球体。这些产品交给纯银器和镀银器制造商来制作，包括伯明翰的胡金海尔斯[J.W. Hukin & J.T. Health]、埃尔金盾[F. Elkington]和谢菲尔德的詹姆斯·狄克森。即使在今天看来，德雷瑟的设计作品依然干净简洁、形式纯粹，有着惊人的现代感。

1871年普鲁士国王将成为德意志皇帝的宣告，让这个国家的诸多公国统一在了一起，并且加速走上了工业化的道路。经济的增长带来了生活的繁荣，随着资产阶级的不断壮大，这个群体开始搜寻珍贵稀有的物品来展示自己在社会中逐渐提高的地位。这个时期德国生产的银器和金属器大部分还是传统风格的，尤其以文艺复兴和洛可可风格居多。但面对1900年左右兴起的青春风格，金属器制造业还是在犹豫中做出了响应。这种响应可以大致被归为三类：一种是由法国

147

148

147. 雨果·列文为凯泽公司设计，锡制酒水器，约1898年。

148. 符腾堡金属制品厂，长柄勺，镀银金属，潘趣大酒杯，镀银金属和玻璃，约1900年。

新艺术风格所激发的花卉装饰手法；一种是由布鲁塞尔派（尤其是凡·德·威尔德和霍塔）发展而来的非对称性曲线；最后一种是追随维也纳分离派而产生的严肃几何样式。在慕尼黑，成立于1897年的手工艺工坊联盟[Vereinigte Werkstätten für Kunst im Handwerk]创造了一种极有辨识度的现代主义风格，其中涡卷形的花卉装饰盘绕穿插，占据着绝对的视觉主导地位。

这个时期的德国金属器皿大多产于柏林、达姆施塔特、德累斯顿、哈根，以及上述提到的慕尼黑等城市。除去这些城市以外的制造商有：海尔布隆市的布鲁克曼[P. Bruckmann und Söhne]；不来梅港市的科赫贝格菲德[Koch und Bergfeld]和维尔肯斯[Wilkens und Söhne]；盖斯林根的符腾堡金属制品厂[Württembergische Metallwaren Fabrik]（图148）。与此相似的，独立工艺美术家之中也有不少人在制作着新艺术风格的银器：在达姆施塔特市有恩斯特·里格尔[Ernst Riegel]和他的继承者特奥多尔·文德[Theodor Wende]，另外还有彼得·贝伦斯、汉斯·克里斯蒂安森和帕崔·胡贝尔；在魏玛有凡·德·威尔德；在柏林有埃米尔·莱特雷[Emile Lettre]等等。

除了制作银器以外，还有不少德国工厂将迷人的花卉纹样和青春风格曲线纹饰运用在锡器上。在锡器制造领域中，最为著名的是华尔特谢夫[Walter Scherf & Co.]，他们的产品以品牌名“欧西里斯”[‘Osiris’]来进行销售；还有纽伦堡的俄里翁琴[Orion Zinn]，克雷费尔德的凯泽[J.P. Kayser und Söhne]（图147），以及科隆-布朗斯费尔德的奥利维特[Orivit AG]。以上这些公司生产的青春风格家用器皿，比如红酒壶、水壶、茶叶罐、敞口杯和烛台等，都是今天新艺术古董银器收藏家们的心头至宝。

如今已经很难确切地辨认，到底有哪些独立设计师和金银工匠参与了维也纳分离派的运动（图149），因为许多工匠在1900年到1904年

149

间，不是参与了工艺美术学校[Kunstgewerbeschule]的运动，就是加入了维也纳工坊，甚至更多的人同时跟这两个团体都产生了联系。霍夫曼和莫塞尔以鲜明的风格生产了大量的花篮、灯具和浅口瓶；而杰仕卡[Czeschka]和佩西[Peche]则以一批看起来风格十分相似的凹纹或透雕桌上餐具，为奥地利现代主义风格增添了许多不凡的魅力。

比利时出产的新艺术风格银器数量较少，但几乎件件都是精品。凡·德·威尔德用金属打造了一系列充满个性的家庭日用品，他以抽象曲线来进行造型设计，在德国或者在他布鲁塞尔郊外的伊克塞勒工作室中生产成型，轻松展现了与生俱来的天赋。沃尔弗斯也将纯银材料引入了他的一些得意之作中，包括数件餐具和一只镶着孔雀银把手的奢华水晶花瓶。此外还有弗兰·胡斯曼[Frans Hoosemans]，胡斯曼和雕塑家

149. 约瑟夫·奥布里希，茶具和咖啡用具，锡器与柚木，约1904年。

埃吉德·荣博克斯[Egide Rombaux]共同合作，将躺在纤长的花丛中千娇百媚的裸女设计稿，打造成了纯银和象牙材质的枝状大烛台，赋予了新艺术人物形象极致的感性表现。费尔南德·杜布瓦[Fernand Dubois]也制作了一对银制的大烛台，烛台的造型是互相缠绕的枝蔓，充满韵律感地扭动着交缠在了一起。

在荷兰，现代主义艺术形式遭到了全面抵抗。因为在这个国家更受欢迎的，是由埃及法老和黎凡特文物古董所激发的几何纹样。那些对新艺术运动做出响应的荷兰工厂和独立设计师们，都采用了花卉造型，比如沃世顿的凡·肯彭[J.M. van Kempen]和吉普斯教授[A. F. Gips]。吉普斯设计的银器都交由乌特勒支的比吉尔[C.J. Begeer]来打造实现。

1900年左右，斯堪的纳维亚地区的国家都从本国民俗历史中寻找装饰灵感。尤其是挪威的维京文化复兴，各种传统维京图样在国内引起了热潮。这个时期的挪威银器的另一个特征，是将珐琅作为重要的装饰手法。至少有两位克里斯丁亚那（今天称奥斯陆）的设计师——古斯塔夫·高德奈克[Gustav Gaudernack]和索罗夫·普莱茨[Thorolf Prytz]，都参与设计过新艺术风格花朵造型的银器，并且打算使用镂空珐琅工艺制作银器的花瓣和叶片，颇有昔日尤金·菲亚特的风格。克里斯丁亚那的银匠托斯特鲁普[J. Tostrup]和大卫-安德森[David-Andersen]，将这些高难度技巧的银器设计稿打造成了实物。

丹麦的新艺术银器制造市场，完全由乔治·詹森[George Jensen]（图150）所占领。詹森年轻的时候，曾在位于哥本哈根的莫根斯·巴林工作室中当学徒，但他凭着自身的才华与能力成长为一名极为出色的金属工匠，作品被展示在巴黎的现代艺术之家中。詹森设计的第一件银器和第一件珠宝，都是在1901年左右为莫根斯·巴林工作时所做的。1904年詹森成立了自己的工作室，初期只制作珠宝首饰，紧接着就开始设计了一些餐具和碗盘。这些作品几乎没有多余的附加装饰，材质本

150

身的曲线轮廓和压平的表面已经被看作是足够的修饰。但很快，詹森就抛弃了这种朴素简约的形式，选择了有机形态的装饰，他开始用花束和水果串等造型来装点餐具器皿的尖顶、镂雕底座和把手。由于詹森的作品总是有着无懈可击的逻辑性与和谐感，他的设计很快就在国际市场上迅速走红，受到了买家们的热烈欢迎。他最广为人知的图案设计“橡树果”至今仍旧在生产，这种图样有一种跨越时空的抒情诗意，能够超越并凌驾于周而复始的时尚潮流之上。詹森多年以来受到多位杰出设计师的协助，其中最著名的两位分别是乔汉·罗德[Johan Rohde]和哈拉尔德·尼尔森[Harald Nielsen]。

在美国，大型银器制造厂和供应商们，都对新艺术的到来表现得不为所动。这很大一部分原因在于银器的主要消费人群依旧是富有的权贵家族。这些家族成员们被灌输了一种观念，认为只有传统欧洲风格的银器，才能展现真正的上流社会的高雅和尊贵。因此，他们尽可能地远离这场号称反权威、反正统的新运动。当世纪末一些更有声望的银器制

150. 乔治·詹森，一对银葡萄纹饰枝状大烛台，1920年。

151

造商开始向自己的产品线中扩增不同风格种类的产品时，如纽约的蒂凡尼公司和黑斯塔芙洛公司[Black, Starr & Frost]以及费城的贝丽班克彼得公司[Bailey, Banks & Biddle]，他们普遍选择了一系列迷人的日式风格铜镶银器，或者是精细的乌银[niello]雕刻器皿。但有一家公司十分与众不同，那就是普罗维登斯的戈若姆公司[Gorham Company]（图151）。戈若姆公司引进了一系列充满活力的新艺术风格银器，命名为“玛泰尔”[Martele]，这个系列的银器全部以高浮雕方式装饰着花卉植物纹样。并且玛泰尔银器（.95）的含银量普遍要高于公司其他标准银器（.925）的含银量。

其他一些著名的美国银器制造公司，在一小部分的银制碗碟餐具中引入了成套的花卉图案，如报春花、兰花和杜鹃花图样等，以此来作为对新艺术运动的响应。这么做的公司有纽约的埃尔文制造公司[Alvin

151. 戈若姆公司，晨与夜，一对纯银枝状大烛台，为圣路易展览创作，1904年。

Manufacturing Company］和西欧多史塔公司［Theodore B. Starr］，马萨诸塞州汤顿市的里德巴顿公司［Reed and Barton］，费城的考德威尔［J. E. Caldwell］和西蒙兄弟［Simon Bros.］等。

只有一家公司，即位于新泽西州纽瓦克市的昂格尔兄弟［Unger Brothers］，试图忠实地再现巴黎沙龙中搔首弄姿的女人花图像。他们将这种图案压印在大批量的化妆用具和珠宝首饰上。慵懒无力的美好时代少女们，或是以斜躺的姿态，或是娇媚地攀附在了手持镜、粉盒、腰带扣和胸针上。这种图案是如此的泛滥无节制，以致于到了1905年前后，就和它们在法国受到的待遇一样，这些图案被看作是迎合低级趣味的媚俗之作。同样在纽瓦克的威廉·克尔［William B. Kerr］，也创作了一系列相似的带有强烈新艺术风格的银器，这些银器上饰有成群的山林女神，在树叶丛中欢乐地玩耍嬉戏。

相比于大型的美国公司，一些小型的金属制造作坊和独立银匠们更容易被新艺术风格中的花卉装饰手法所影响。但是和欧洲大陆流行的固化样式所不同的是，美国的工匠们多数选择了一种更为写实的表达方式。除此之外，每个工匠都格外强调制作过程中的手工艺技法——在这一点上，今天我们更倾向于定义这些作品为“艺术与手工艺运动”作品，而不是“新艺术风格”作品。属于这个类别的银器和金属器制造者有：芝加哥的凯洛之店［Kalo Shops］、乐博公司［Lebolt & Company］和罗伯特贾维［Robert Jarvie］；旧金山的史瑞芙公司［Shreve & Company］；波士顿的伊丽莎白科普兰［Elizabeth Copeland］等。

第九章 | 雕塑

19世纪法国雕塑的发展大致可以被划分为两个阶段，分别和国家的政治历史变革背景一一相对应：1830年到1848年路易·菲利普的执政阶段，以及1851年到1870年法兰西第二帝国阶段。一直到1870年法兰西第三共和国成立，雕塑才开始和绘画一样，逐渐摆脱了日渐式微的国家意识形态的影响。

在1870年之前，想成为一位杰出雕塑家的奋斗之路既清晰明了又举步维艰。首先，只有很少一部分的法国雕塑家能够被选入巴黎的法国美术学院中进行学习。而在年复一年的枯燥训练之后，所有的学生将相互竞争获取学院的最高荣誉——罗马大奖。这项奖章指定颁发给那些能够完美展现导师所教授的古典艺术手法的学生，而这些导师们本身在10年或者20年前，也接受了完全一样的教育体系训练，并从中成功脱颖而出。所有试图反抗这个系统的人，不管他们本身是否是美术学院出身，都丝毫无法撼动这场专政，比如大卫·昂热[David d’Angers]和弗朗索瓦·鲁德[François Rude]，就曾在1851年的路易·拿破仑政变中被驱逐。

除此之外，艺术家唯一能接触公众的方式就是在年度沙龙上公开展出自己的作品。至于哪些作品能够入选沙龙，则完全由“体制内”的成员来进行抉择，那些不遵循学院独裁专制标准的雕塑，自然没有机会获得沙龙入场券。安德烈·普利考特[André Précault]在1834年到1848年间，就完全被沙龙拒之门外。巴列[Barye]、杜米埃[Daumier]、弗拉汀[Fratin]，也反复遭到了沙龙的拒绝。传统保守主义成了一种风气。让这种情况更加严重的是，政府的官方订单常年以来都是纪念碑雕塑的委任项目的唯一来源，以至于波德莱尔[Baudelaire]对这些纪念雕塑作了一个恰当的描述，称作“英雄教条主义”。一直到了1895年，弗雷德里克·巴特勒迪[Frédéric Auguste Bartholdi]被选入沙龙展的获奖作品依旧是爱国主义题材的，但他为这件神话寓言群像取了一个荒诞可笑的标题，叫“1870年的围攻之战中瑞士抚慰斯特拉斯堡之苦痛”[Switzerland Comforting the Anguish of Strasbourg during the Siege of 1870]。让巴特勒迪更实至名归的作品，当属矗立在纽约港的自由女神像了。

在这100年中，除了政府对于公共纪念雕塑的委任以外，与此并行的是不断扩大的私人需求。越来越多的藏家开始订制雕塑来作为家庭装饰的艺术品陈设。这些由购买力不断增长的中产阶级所带来的商业机遇，被费迪南德·巴比丁[Ferdinand Barbedienne]抢先把握住了。1838年，他采用了合伙人朋友阿基勒·柯拉斯[Achille Collas]的发明，迅速开设了自己的铸造厂，这项发明在1859年的时候被《美术公报》[*La Gazette des Beaux-Arts*]称为“通往规模量化的跳板”。柯拉斯的发明是一种被叫作缩放仪的工具，这种工具采用了比例固定的数学原理。在这个仪器中，一根摹图针在（石膏或青铜的）模型表面进行移动时，另一支雕刻铁笔会通过一套机械联结系统，在软石膏坯料上复制出一个等比例缩小的模型。如果复制一个非常复杂的模型，那单个的零部件会拆开，分别缩小后再进行整体组装。缩放仪使得青铜雕塑能够被精确缩小后重新制作成青铜的复制品，它不仅带来了一大批的青铜复制品，而且还为巴比丁创造了丰厚的利润，因为他把各个历史时期的古典雕塑都拿来作为主体对象，制造限量版的复制品。市场上最受欢迎的是乔瓦尼·博洛尼亚[Giovanni Bologna]和安德里亚·里乔[Andrea Riccio]的作品，但巴比丁也会制作一些浪漫主义风格的雕塑，迎合逐渐增长的市场需求。用这种方式，巴比丁在1900年的巴黎沙龙之外，创造了一个宣传推广雕塑的新的公共空间。

其他的铸造厂和校样厂也跟着学样，开始为大众市场提供成套的青铜塑像。比如在巴黎，科林[E. Colin]、萨斯兄弟[Susse frères]、卢谢[Louchet]、提伯兄弟[Thiébaut fréres]都是活跃在19世纪中叶的铸造工厂。而到了19世纪末期，伊博拉[Hébrard]、乌德宾[Houdebine]、法苏尼[Valsuani]、修-迪考伏[Siot-Decauville]也加入了他们。这些公司或者和出色的雕塑家协商版权，如卡利-贝鲁斯[Carrier-Belleuse]和卡尔波[Carpeaux]这样的艺术家，获得授权后将他们的作品复制成一系列的金属塑像；或是直接委托雕塑家制作特定的蜡像、陶像、石膏像模型，以便于后续缩小并铸造成金属雕塑。

到了1890年，由巴黎公社成员在20年前掀起的革命思潮，终于开始将艺术界的旧制度从沙龙中驱逐出去。雕塑创作不再被提前限定风格、尺寸或是主题。雕塑一方面和新艺术运动紧密结合，接纳了新艺术关于协调整体的设计哲学；另一方面拥抱了“艺术无处不在”的理念——提倡所有的家居陈设，无论其有什么功用，都应该具有形式美。因此雕塑经过改造，变成了壁炉架上的装饰品、烟灰缸、餐桌中央摆设、碳架和照明灯具等等。这些日用之物曾一度被认为是难登大雅之堂的非工艺品，主要因为这些物品并不被当作独一无二的对象来制作设计，只是序列化的开模批量生产。但现在，久负盛名的优秀雕塑家们，如拉乌尔·拉什[Raoul Larche]、希尔多·里维热[Théodore Rivière]、皮埃尔·罗什[Pierre Roche]、莫里斯·布法尔[Maurice Bouval]等人，只要他们愿意，就可以减少独立订件的数量，转而从大批量的复制品中获取作品的版税。（可以理解的是，这个时期的天才雕塑家罗丹曾一度被誉为古希腊菲狄亚斯再世，因此许多他的同时代雕塑家们纷纷放弃了竞争的念头，开始转而制作缩小雕塑复制品。）

在世纪之交的时期，大理石、石头、陶土和青铜都是人们所偏

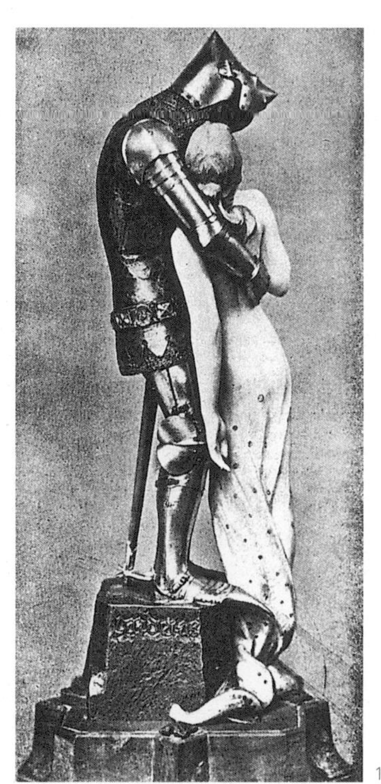

152. 让-奥古斯特·当姆，《水中仙女玫琉辛和骑士雷蒙德》，钢、象牙和宝石，1894年。

152

爱的雕塑材料。也有一些雕塑家创作并陆续展出了综合材料的雕塑和群像，如让-奥古斯特·当姆[Jean-Auguste Dampt]（图152）、乔治·勒梅尔[Georges Lemaire]和路易-欧内斯特·巴里亚[Louis-Ernest Barrias]等人。伴随着利奥波德二世的命令，比利时人在刚果进行了殖民扩张，加上1897年的特福伦展览，这些事件都促使象牙材料又一次成了时下热捧的潮流。

在所有这些材质中，青铜无疑是最受欢迎的，这很大程度上是因为柯拉斯缩放仪的发明。但是新艺术风格的青铜雕塑并不便宜，于是合金材料以及一种由克里斯托夫勒申请了专利的电铸版工艺被引入了复制品制造。这种工艺能够采用锌之类的廉价普通金属为基底，然后在外层电镀上金或银等贵金属层。

与我们在其他装饰艺术领域中所见到的情况一样，新艺术风格的雕塑家们，也采用了类似的装饰主题来作为创作灵感的来源。比如盖勒设计的浮雕宝石灯罩，以及莱丽克设计的珠宝，这些作品中曾经出现的植物花卉和昆虫纹饰，又再一次地被刻画在了雕塑物件上。由螳螂、蝉、鹿角虫组成的昆虫大军，云集在了墨水瓶身周，积聚在分层饰盘和花瓶之上，而这些器物本身的造型则全部巧妙伪装成了旋花和睡莲之类的花卉。在维克多·霍塔锻造的透雕栏杆铸件以及赫克托·吉马德设计的华丽盘绕的地铁入口中，曾将鞭绳和涡卷线运用得淋漓尽致，而这种元素也成了雕塑中常见的语言。但在这个时期，所有最流行，也是最泛滥的艺术主题中，却再也没有哪个比“女人”使用得更频繁与极致的了。在1900年左右的装饰艺术界，尤其在雕塑领域中，女人的地位是至高无上的。作为美好时代和无忧岁月的（错误）形象代表，女人以高浮雕、浅浮雕、圆雕等各种形式，几乎出现在了所有的物品上。女人们刚摆脱了金属条和鲸骨裙撑的时尚束缚，摆脱了令人窒息的社会礼教（在司汤达、巴尔扎克和福楼拜的小说中对此都有生动的描绘），获得自由的她们将束身胸衣、外套和谨小慎微的作风都抛在一旁，随风而去。这样的女人形象，至少是新艺术雕塑家们尝试去塑造的，并经由沙龙评论家们的阐释传递给了观众。各种山林女神、湖中仙女和水妖，被表现成了伤感忧郁、缥缈优雅、如梦似幻等不同姿态。这些在1900年左右被用来装饰雕塑的少女们，有着20年前横扫文学和绘画界的象征主义运动的明显痕迹。

象征主义运动，最初源自于英国的唯美主义运动和拉斐尔前派。

153. 查尔斯·容舍里，女人花台灯，镀金青铜，1901年。

153 ▶

154

154. 阿方斯·穆夏，胸像，可能为福格珠宝店的展示厅而作，镀金青铜、纯银与大理石，约1900年。

这些人对于写实主义极其厌恶，这可以在波德莱尔理想式的“美丽而忧伤”以及罗塞蒂[Rossetti]的《贝雅特丽齐》[*Beatrice*]中见到。库尔贝[Courbet]笔下的那些女模特看起来过于无忧无虑，似乎从未被任何一道思想的阴影所笼罩和困扰过，这样的形象已经无法再为这个时代提供足够的灵感了。现在流行的是古斯塔夫·莫罗[Gustave Moreau]、皮埃尔·皮维·德·夏凡纳[Pierre Puvis de Chavannes]、费尔南德·赫诺普夫[Fernand Khnopff]和奥迪隆·雷东[Odilon Redon]等画家笔下的女人们，她们的形象糅杂了邪恶、色情、唯心论和沉痛哀婉等种种复杂气质。菲利普·朱利安[Philippe Julian]在他的《颓废梦想家》[*Dreamers of Decadence*]中，曾这样描述这种新兴的“无情美人”：

> 公主或是艺术家的模特，斯芬克斯或是梦魇魔女，诗人莎孚或是伽倪墨得斯，世纪末运动艺术家们坚持人的面容应该由灵魂来塑造，而正是这张面具带来了巨大的成功。要想在一个背弃唯物主义的环境中显得性感诱人，女人必须将自己变成一朵百合花，否则就将被唯美主义的审美家斥为粗俗低下。如果一个女人无法让自己看起来如孩童般天真纯洁，那她就应该学会激发男人们的无限邪念。

而她就这样做到了。伴随着神秘莫测的表情和轻闭的双眼，象征主义的女人隐藏起了自己的白日梦境，她召唤人们想起死神的怪兽喀迈拉、魔法巫术，以及当时欧洲流行的致幻药物服用之热。

新艺术女人，则代表了这个主题的一个分支，尽管是其中颇为疲软无力的一支。蛇蝎美人的形象已然消亡；取而代之的，是一个头发披散的魅惑女子。女人在此时的新形象是寓言性的。尽管依然富有象征意义，但她如今是正义、忠实、真理、进步等理想的拟人化形象；

在她扮成进步的时候，会在空中挥舞着一把火炬，化身为电光女神。因而她象征的是白炽灯泡的发明，映射着科学战胜了机械学，新世纪战胜了旧世纪。

没有人比美国舞者洛伊·富勒[Loïe Fuller]更适合在雕塑中成为电力之光的拟人形象了。洛伊·富勒在1892年抵达巴黎，她凭借着自己光彩照人的独特舞姿，迅速在女神游乐厅[Folies Bergère]中大获成功，成了名噪一时的舞蹈巨星。伊莎朵拉·邓肯[Isadora Duncan]在当时还是富勒小姐的一位女门徒，她后来在自己的自传《我的人生》中，如此描述了富勒对观众产生的巨大影响：

> 就在我们的眼前，她化作了一朵多彩又闪耀的兰花，倏忽又变成了一片摇曳漂浮的花海，最后她变成了一朵旋转着的百合花，一切皆是梅林的魔法，关于光、色彩、流动之态的魔咒。多么非凡的一个天才啊……她是光和变幻色彩的最初灵感——她就是光。

电力之光在当时还是一个新奇的题材，因此也让富勒成了无数雕塑家心目中的灵感女神，他们都试图将她充满魔力的表演用金属塑造表现出来。其中最著名的作品来自劳尔·拉尔克[Raoul Larche]（图155）。在巴黎美术学院中，他是亚历山大·法尔盖[Alexandre Falguière]和尤根·德拉普朗切[Eugène Delaplanche]的学生，并且在1881年的法国艺术家协会沙龙展中初次展现了自己的才华。

在巴黎装饰艺术博物馆的图书室中，有一本日期不明的展览图录，记录了拉尔克身后的一场个人展览，这是我们今天了解艺术家短暂一生中全部作品的关键——1912年因为一场不幸的车祸，拉尔克的生命之歌戛然而止了。这场展览展出了拉尔克上百件绘画和雕塑作品，其中

155

155. 劳尔·拉尔克，洛伊·富勒人像灯具，镀金青铜，约1900年。

156

雕塑的主题和材质各不相同。有神话中的天神胸像、农村女孩的群像、佩剑的青年小雕像，以及紧紧抱住贝壳和海螺的水中女神塑像。这些雕塑的材质琳琅满目、各不相同，包括石头、白素瓷、锡合金、青铜和陶土。除此之外，展览还囊括了一系列新艺术风格的青铜物品：如半身像、台灯、墨水池（图156）以及花盆托盘等。

另一位活跃在世纪之交的著名雕塑家是路易斯·沙隆[Louis Chalon]（图157）。沙隆最初是一位画家，后来成了一位成功的插画师、宝石镶嵌师和高级裁缝。1898年，在一次偶然的情况下他涉足了雕塑领域：在一个订单中，他被要求设计一系列的视错觉[trompe-l'oeil]插画，主题是青花瓷。但在多次失败的实验之后，沙隆决定自己动手用

156. 劳尔·拉尔克，墨水池，镀金青铜，约1902年。
157. 路易斯·沙隆，盘子，青铜，约1903。

蜡和油彩先制作一些模型。最后成品的效果极为令人惊艳，于是他又继续做了其他许多不同的物件，这些蜡塑最后成了卢谢浇铸厂出品的大量青铜雕塑的设计模型（图160）。沙隆非常偏爱女人和花的混合形象；在他的花瓶、壁炉架装饰、蜜饯盒以及餐桌中央摆设瓶上，年轻性感的少女们成群结队地嬉闹玩耍。他曾设计过一个金苹果园花瓶，由陶艺匠埃米尔·穆勒烧制，并陈列在了1900年的万国博览会上。这个花瓶有7英尺高，刻画着阿特拉斯的三个女儿，托举起了守卫着金苹果花园的各种珍奇海兽。

出生在图卢兹的里奥·拉波特-布来希[Léo Laporte-Blairsy]（图158）也和他的许多同行们一样，都是从业内大师法尔盖那里接受了艺术训练。拉波特-布来希完成学业之后，在1887年的沙龙展中开始了

157

158

他的独立事业。刚出道的时候，拉波特–布来希作为一名雕塑家兼雕刻师，接受了大量的大型纪念雕塑和胸像订件。但到了1890年末，他决定缩小自己雕塑作品的比例，来适应日渐增长的家庭日常装饰艺术品的消费需求。他最擅长的类型就是雕塑灯具。评论家德·菲利斯[de Félice]曾经在1903年将他的作品描述为“会发光的幻境”，他的雕塑主题经常混杂着奇闻趣事、折中主义和新艺术风格，各种风格的混搭显得十分奇异。其中有一部分雕塑作品仿佛在叙述着不同的故事，比如他设计的台灯“拿着气球的女孩”[*La Fillette au ballon*]，表现了一个小女孩手中拿着一只刚从卢浮宫商店买来的气球。他的另外一些作品则从历史故事中获取灵感，比如布列塔尼女人或者希腊舞者。同时他也十分擅长纯粹

158. 里奥·拉波特–布来希，两件人像灯具，青铜，约1902年。

的20世纪初期新艺术风格，比如他设计的伞形花和孔雀台灯都展现出了这种特点。

莫里斯·布法尔[Maurice Bouval]（图159）在法国艺术家协会沙龙展上展出过自己的作品，同时他也参与了歌切达之家[Maison Goldscheider]的展览。他的青铜雕塑结合了山林女神、睡莲、绽放的荷花以及罂粟花等意向，时常有一种强烈的象征意义和超自然的邪恶力量。在他塑造的《奥菲利亚》[*Orphélia*]胸像中，人物眼神低垂；名为《秘密》[*Le Secret*]的小雕像则充满神秘感（这件雕像的灵感无疑来自于皮埃尔·菲克斯–穆塞尔数年前的同题材作品）；在他设计的枝状大烛台《梦境》[*Dream*]和《沉迷》[*Obsession*]中，少女的神情恍惚，宛如正在神游太虚梦境。这所有的形象都有一种爱伦·坡笔下如梦幻泡影般的虚幻感觉，也令人想起19世纪90年代巴黎曾经盛行的畅饮苦艾酒之风气。

约瑟夫·谢雷[Joseph Chéret]（图161）在法卢瓦[Vallois]和卡利–贝鲁斯[Carrier-Belleuse]的指导下（谢雷后来迎娶了后者的女儿），学习成为一名雕塑家，他在1863年的沙龙展上展出了自己的第一件作品。1887年，他成功地接任了塞夫勒制造厂模型部门的主管工作。谢雷在1894年就去世了，当时的新艺术风格并未完全站稳脚跟，但他的个人风格却提前展露出了新艺术运动发展到巅峰时期才呈现出的面貌特点。当新艺术运动真正席卷欧洲之时，谢雷已去世十年有余。谢雷的设计稿由当时的巴黎铸造工匠赛罗[Soleau]制作完成，当他辞世之后，按照常规，他的设计稿应该停止复制生产。谢雷的作品虽然在很大程度上都偏向于第二帝国风格，但偶尔也呈现出过渡时期的特点——古典希腊风格和新艺术风格的混融。他创作的青铜镀金小天使们在鸢尾花和睡莲之间嬉闹玩耍（花冠有时被用来作为固定电灯泡的支架），还有一些早期的世纪末风格少女形象采用了极其精致的手法刻画。这些作品很快就得到了赛罗的赏识。1894年之后，谢雷常用的题材逐渐变成了流行的风

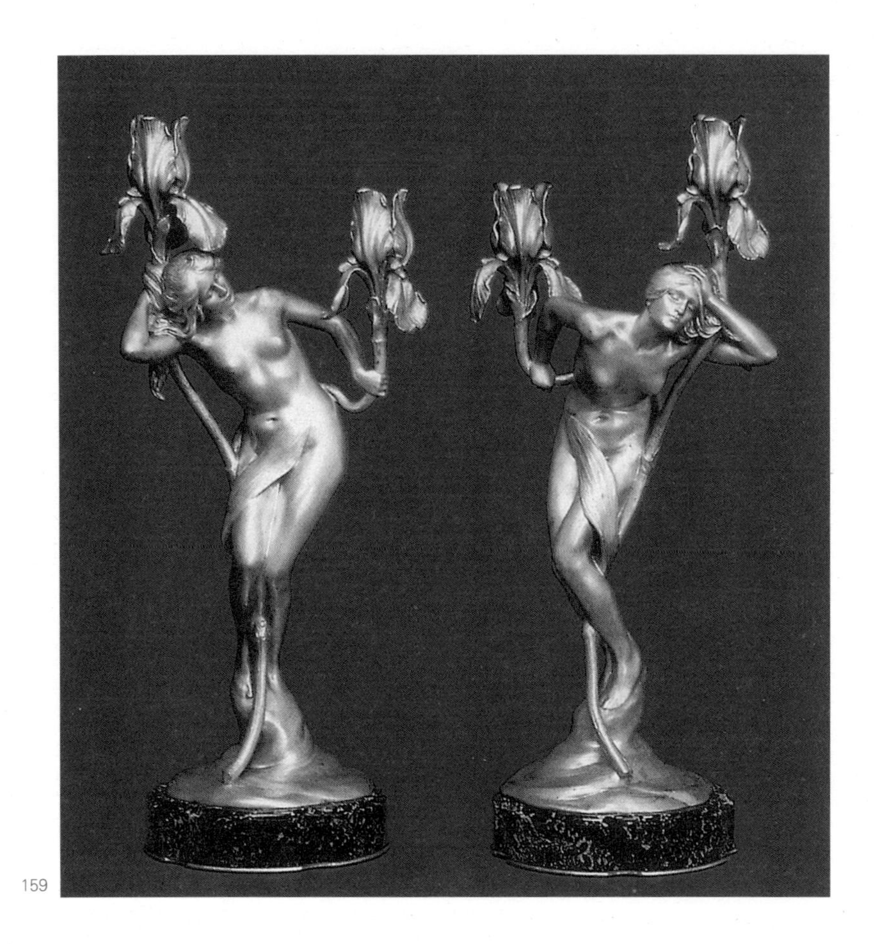

159

尚，于是赛罗用数件依旧保存在他工作室中的谢雷的青铜原作为模型，重新又生产了一批复制品。这批青铜复制品在1900年到1904年间被推向了市场。

1894年到1906年间活跃在巴黎的查尔斯·柯思尚[Charles

159. 莫里斯·布法尔，《沉迷》与《梦境》，一对枝状大烛台，纯银，1900年。

160. 查尔斯·卢谢和拉马尔，陶瓷花瓶镶镀金青铜珐琅装饰，1898年。

160 ▶

162 ▶

161

161. 约瑟夫·谢雷，为铸造工匠赛罗设计的墙壁支架，1900年。

162. 查尔斯·柯思尚，带墨水池的镀金青铜台灯，约1902年。

Korschann]（图162），是一位雕塑家和纪念章设计师。他出生于摩拉维亚的布尔诺市，曾先后从维也纳艺术学院和柏林艺术学院这两所学校毕业。他的一生过得十分特立独行，曾在巴黎、柏林、法兰克福、克拉科夫旅居多年，最后又回到了布尔诺。正是在他客居巴黎的岁月中，柯思尚设计了一系列新艺术风格的小物件，例如钟表、墨水池和人物胸像等。1904年，他曾接受布尔诺的摩拉维亚博物馆的委任，制作了一尊阿方斯·穆夏的胸像。

让-奥古斯特·当姆[Jean-Auguste Dampt]要比大多数新艺术运动中的核心艺术家们年长一辈。早在1876年，他就已经进入巴黎和第戎两

163

所美术学院接受了训练，并参与了沙龙展。当姆的主攻方向就是雕塑，因此能够轻松地在大理石、石料、木料和象牙等材质之间熟练转换，成了当时最多才多艺的综合材料雕塑家之一。当姆通过国家美术协会展览了许多他的作品，包括家具、雕塑和灯具。他还参与了“万物皆艺术团体”的展览，这是一个六人先锋艺术家组织，他们共同决议在官方的年度沙龙之外自行独立组织展览。当姆最著名的作品就是1894年创作的《水中仙女玫琉辛和骑士雷蒙德》[*La Fée Mélusine et le Chevalier Raymondin*]（图152），一位身披铠甲的骑士正在亲吻一位浑身珠光

163. 阿加颂・里奥纳德，两件舞者造型的镀金青铜灯具，《丝巾之戏》系列之二，约1903年。**164**. 奥古斯特・勒德鲁，烟草盒，青铜，约1902年。

宝气的象牙淑女。当姆用木头和象牙材质塑造的《和平大厅》[*Paix du Foyer*]塑像，也成了让人久久难以忘怀的经典之作。

阿加颂·里奥纳德[Agathon Léonard]（真名是里奥纳德-阿加颂·凡·韦德维尔德[Léonard-Agathon van Weydeveld]），父母是比利时人，但在法国里尔生下了他，因此他前往里尔的美术学院接受了艺术训练。里奥纳德后来定居巴黎，他设计并制作了大量的人物胸像、群像和小型塑像，采用了各种各样的蔷薇石英、埃及岩、赤陶土、青铜、象牙和石膏等材质。1902年，他在巴黎沙龙展上展出了两件尤为美轮美奂的蔷薇石英材质雕像，分别叫作《愁绪》[*Mélancolie*]和《冥想》[*Méditation*]。里奥纳德今天最为人所知的代表作是《丝巾之戏》[*Jeu de l'Echarpe*]（图163）系列中的芭蕾舞演员小塑像。这个系列第一次面世是在1897年，是作为“一个舞蹈大厅的门厅装饰项目”而创作的。后来塞夫勒制造厂委托里奥纳德将这个系列做成白素瓷雕塑，用来摆放在1900年万国博览会的展馆之中。这些塑像可以整套出售，也可以拆分单卖，结果获得了巨大的商业成功。最后萨斯兄弟出资买下了版权，将这

164

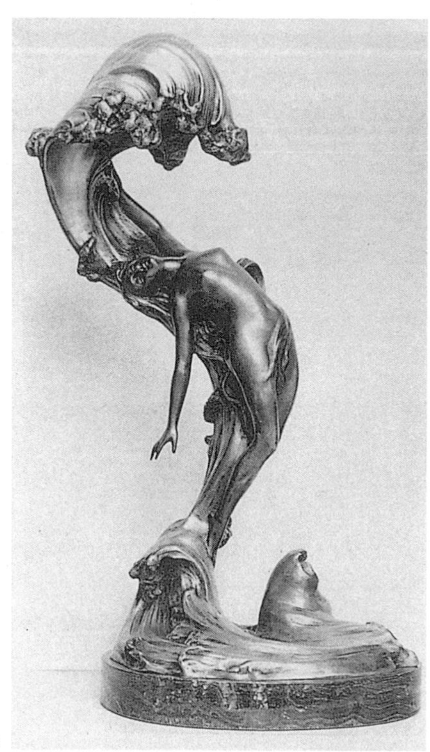
165

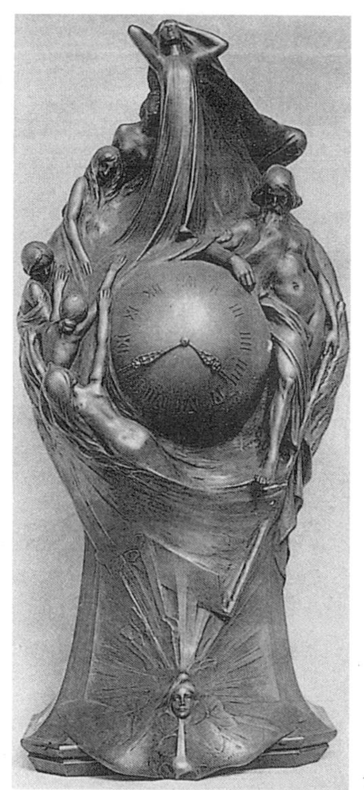
166

个系列重新铸造成了镀金青铜像。

如果翻阅1895年到1914年间的巴黎年度沙龙展览图录，我们就能看到到底有多少雕塑家活跃在这个时期，也就明白为什么今天我们还能在跳蚤市场、古董店和拍卖场上寻觅到大量来自于这个年代的作品。来自吕西安·阿利奥[Lucien Alliot]、麦克斯·布隆达[Max Blondat]（图166）、朱利安·柯沃西[Julien Caussé]的塑像，菲利克斯·卡朋

165. 查尔斯·容舍里，人像台灯，约1901年。
166. 麦克斯·布隆达，钟，约1901年。
167. 伊曼纽尔·维拉尼，青铜胸像，《未婚妻》，约1900年。

167 ▶

LA
FIANCEE

169 ▶

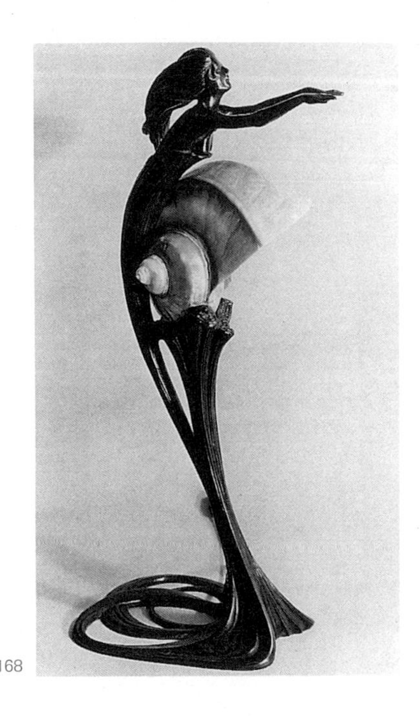
168

168. 古斯塔夫·戈仕纳，青铜嵌夜光蝾螺台灯，约1901年。

169. 菲利普·沃尔弗斯，名为《孔雀仙女》的大理石青铜珐琅灯，约1900年。

特和亚历山大·卡朋特[Félix and Alexandre Charpentier]的群像雕塑，乔治·弗拉芒[Georges Flamand]、查尔斯·容舍里[Charles Jonchery]（图153、图165）、奥古斯特·勒德鲁[Auguste Ledru]（图164）的枝状大烛台和莫罗家族的雕塑台灯，希尔多·里维热、皮埃尔·罗什、维利·威尔贡[Villé Vallgren]和伊曼纽尔·维拉尼[Emmanuel Villanis]（图167）的人物胸像，除了这些人以外，还有许许多多的艺术家创造了许许多多的雕塑，为了满足当时看来深不见底的巨大市场需求。

在巴黎之外的其他地方，新艺术风格的雕塑就比较少见了。在奥地利，古斯塔夫·戈仕纳（图168）从1898年起，多次参与了维也纳分离派的展览，展出了自己的作品。后来他又陆续参与了慕尼黑、巴黎和蒙特卡洛的多个展览，逐渐声名鹊起。在戈仕纳的早年职业生涯中，他

170

将大部分精力都花在了纪念碑群像和人物胸像的塑造上，但逐渐地，他和拉波特-布来希一样，开始着手创作一些日常家用物品，例如门把手、女士手持镜、墨水池和灯具之类的小物件。戈仕纳的青铜雕塑展现出精致优雅的特点。尽管在他的许多作品中，都以袒胸露乳的少女来作

170. 埃吉德・荣博克斯和弗兰・胡斯曼，纯银象牙枝状大烛台，约1900年。

为视觉中心的主体形象，但这种千篇一律的老套主题却偏偏在戈仕纳的作品中免受任何苛评，因为他创作的女性形象是如此的恬静优雅，姿态是那么的诗意迷人，一点尘世俗气都不曾沾染。在雕塑台灯设计中，戈仕纳格外喜爱用海贝来作为容纳盛放电灯泡的装饰，比如鹦鹉螺和夜光蝾螺等材料。螺贝天然的半透明质感，在光线下，会产生各种层次丰富、颜色多变的光晕效果。

在布鲁塞尔，菲利普·沃尔弗斯长期在他父亲的作坊中当学徒，后来于1876年拜在伊西多尔·德·鲁德尔[Isidore de Rudder]门下学习雕塑。一直要到1897年，当沃尔弗斯在特福伦展览上展出了《孔雀仙女》[*Fée au paon*]和《天鹅之抚》[*Caresse de cygne*]之后，他才开始将创作重心转移到珠宝设计上，而今天这是沃尔弗斯更为人所知的一个擅长的领域。他的《孔雀仙女》（图169）雕塑是这个时代最伟大的杰作之一。它是由一尊真人大小的大理石裸女像拥抱着一只青铜孔雀所构成的作品。电灯泡被埋在了孔雀的尾羽之间，灯光透过镂空珐琅嵌在青铜间的“孔雀眼”而射出。沃尔弗斯在1901年的国家美术协会沙龙展上也展出了一组类似的群像雕塑，这些作品用象牙和青铜制成。

同样在布鲁塞尔，雕塑家和纪念章设计师埃吉德·荣博克斯[Egide Rombaux]与银匠弗兰·胡斯曼[Frans Hoosemans]一起合作（图170），生产了一系列装饰华丽的枝状大烛台和小台灯。胡斯曼以时下流行的造型样式，制作出了纯银的藤蔓和树干，将荣博克斯雕刻的象牙少女缠绕包裹其中，最后再以花朵形状的蜡烛台和灯泡架收尾，作为整件作品的点睛之笔。

新艺术风格的雕塑在急速发展的过程中，就埋下了日后衰落颓败的种子。女人意象被过度滥用，以至于让人一见便心生厌恶，很快公众就彻底对她们失去了胃口。

参考书目

总论

Amaya, Mario *Art Nouveau* London/ New York 1966
Art Nouveau, Art and Design at the Turn of the Century (Metropolitan Museum of Art) New York 1935
Aslin, Elizabeth *The Aesthetic Movement: Prelude to Art Nouveau* London 1969
Barilli, Renato *Art Nouveau* London 1966
Battersby, Martin *The World of Art Nouveau* New York/London 1968
Benton, T. and Millikin, S. *Art Nouveau 1890–1902* Milton Keynes 1975
Charpentier, Françoise-Thérèse *Art Nouveau, L'Ecole de Nancy* Paris 1987
Garner, Philippe *The Encyclopedia of Decorative Arts* London 1978
Geffroy, G. *Les Industries artistiques françaises et étrangères à l'exposition universelle de 1900* Paris 1900
Johnson, Diane Chalmers *American Art Nouveau* New York 1979
Jullian, Philippe *The Triumph of Art Nouveau, Paris Exhibition 1900* New York 1974
Klopp, Gerard (ed.) *Nancy 1900, Rayonnement de l'art nouveau* Thionville 1989
Larner, Gerald and Celia *The Glasgow Style* New York 1979
Madsen, Stephen Tschudi *Sources of Art Nouveau* Oslo 1956
Pevsner, Nikolaus *Pioneers of the Modern Movement from William Morris to Walter Gropius* London 1936
Powell, Nicholas *The Sacred Spring: The Arts in Vienna 1898–1918* London 1974
Rheims, Maurice *L'Objet 1900* Paris 1964
—L'Art 1900 Paris 1965
Schmutzler, Robert *Art Nouveau* London/New York 1967 (pb 1979)
Schorske, Carl E. *Fin-de-Siècle Vienna* New York/ London 1979
Selz Peter (The Museum of Modern Art) *Art Nouveau* New York 1960
Stoddard, William O. *The Story of America* New York 1955
Vergo, P. *Art in Vienna, 1898–1918* London 1975
Waissenberger, Robert (ed.) *Vienna 1890–1920* New York 1984
Weisberg, Gabriel P. *Art Nouveau Bing: Paris Style 1900* New York 1986
Wheeler, Candace *Principles of Decoration* New York 1903

建筑

Benton, Tim and Charlotte (ed.) *Architecture and Design, 1890–1939: An International Anthology of Original Articles* New York 1975
Casteels, M. *The New Style: Architecture and Decorative Design* London 1931
Collins, G.R. *Antonio Gaudi* New York 1960
Curtis, William J.R. *Modern Architecture* Englewood Cliffs, N.J., 1982
Hitchcock, H.R. *Architecture: Nineteenth and Twentieth Centuries* Harmondsworth 1958
Jordy, William H. *American Buildings and Their Architects; Progressive and Academic Ideals at the Turn of the Twentieth Century* (vol. 3) New York 1972
Pevsner, Nikolaus *The Sources of Modern Architecture and Design* London/New York 1968 (repr. 1989)
Russell, Frank (ed.) *Art Nouveau Architecture* London 1979

家具

Alison, F. *Charles Rennie Mackintosh as a Designer of Chairs* London 1974
Bossaglia, R. *Le Mobilier Art Nouveau* Paris 1972
Duncan, Alastair *Art Nouveau Furniture* London/New York 1982
—*Louis Majorelle* London/New York 1992
Howarth, Thomas *Charles Rennie Mackintosh and the Modern Movement* London 1952
Lambert, Théodore *Meubles et ameublements de style moderne* Paris 1905–06
Macleod, Robert *Charles Rennie Mackintosh* Feltham 1968

Mannoni, E. *Meubles et ensembles style 1900* Paris 1968

Olmer, Pierre *La Renaissance de mobilier français 1890–1910* Paris 1927

Prouvé, M. *Victor Prouvé* Nancy 1958

Tierlink, Herman *Henry van de Velde* Brussels 1959

平面艺术

Arwas, Victor *Belle Epoque: Posters and Graphics* London 1978

Duncan, Alastair and de Bartha, Georges *Art Nouveau and Art Deco Bookbinding* London/New York 1989

Millman, Ian *Georges de Feure: Maître du Symbolisme et de l'art nouveau* Paris 1992

Mucha, Jírí *Alphonse Maria Mucha: His Life and Art* New York 1989

Rennert, Jack *Posters of the Belle Epoque* New York 1990

Walters, T. *Art Nouveau Graphics* New York 1971

玻璃与陶瓷

Amaya, Mario *Tiffany Glass* London/New York 1967

Arwas, Victor *Glass: Art Nouveau to Art Deco* London 1977

—*Tiffany* London/New York 1979

Bangert, Albrecht *Glass: Art Nouveau and Art Deco* London/New York 1979

Bloch-Dermant, Janine *L'Art de Verre en France, 1860–1914* Paris 1974

Blount, Bernice and Henry *French Cameo Glass* Des Moines 1968

Doat, Taxile *Ceramic Movement in Europe in 1900* New York 1903

Duncan, Alastair and de Bartha, Georges *Glass by Gallé* London/New York 1984

Duncan, Alastair/Eidelberg, Martin/Harris, Neil *Masterworks of Louis Comfort Tiffany* London/New York 1989

Fare, Michel *La céramique contemporaine* Paris 1953

Freeman, Larry *Iridescent Glass* New York n.d.

Garner, Philippe *Emile Gallé* New York 1976

—*Glass 1900: Gallé, Tiffany, Lalique* London/New York 1979

Grover, Ray and Lee *Art Glass Nouveau* Rutland, Vt. 1968

Hilschenz, Helga *Das Glas des Jugendstils* Duesseldorf 1973

Koch, Robert *Louis C. Tiffany – Rebel in Glass* New York 1964

—*S. Bing Artistic America, Tiffany Glass and Art Nouveau* Cambridge, Mass. 1970

Koch, Robert *Louis C. Tiffany's Glass, Bronzes, Lamps* New York 1971

McKean, Hugh *The "Lost" Treasures of Louis Comfort Tiffany* New York 1980

McKearin, George S. and Helen *American Glass* New York 1941

—*Two Hundred Years of American Blown Glass* New York 1950

Peck, Herbert *The Book of Rookwood Pottery* New York 1968

Pelichet, Edgar *La céramique de la Belle Epoque* Geneva 1970

—*La céramique art nouveau* Lausanne 1976

Revi, Albert Christian *American Art Nouveau Glass* New York 1968

Rosenthal, Léon *La Verrerie française depuis cinquante ans* Paris 1927

Sowers, Robert *The Lost Art* New York 1954

Uecker, Wolf *Art Nouveau and Art Deco Lamps and Candlesticks* London 1986

Van Tassel, Valentine *American Glass* New York n.d.

珠宝

Barten, Sigrid *René Lalique: Schmuck und Objets d'art 1890–1910* Munich 1978

Becker, Vivienne *Art Nouveau Jewelry* London/New York 1985

—(ed.) *The Jewellery of René Lalique* (exhibition catalogue) London 1987

The Belle Epoque of French Jewellery 1850–1910 London 1991

Eidelberg, Martin *E. Colonna* (exhibition catalogue) Dayton, Ohio 1983

Gere, Charlotte *European and American Jewellery 1830–1914* London 1975

Hughes, Graham *Modern Jewellery* London 1967

Nadelhoffer, Hans *Cartier, Jewelers Extraordinary* London/New York 1984

Sataloff, Joseph *Art Nouveau Jewelry* Bryn Mawr, PA 1984

Vever, Henri *La Bijouterie française au XIXe Siècle* (3 vols) Paris 1906

银器

Aldburgham, Alison *Liberty's: A Biography of a Shop* London 1975

Calloway, Stephen (ed.) *The House of Liberty* London/Boston 1992

Carpenter, Charles H., Jr. *Gorham Silver 1831–1981* New York 1982

Holland, Margaret *Silver: An Illustrated Guide to American and British Silver* New York 1973

Hughes, Graham *Modern Silver throughout the World 1880–1967* New York 1967

Levy, Mervyn *Liberty Style. The Classic Years: 1898–1910* New York 1986

Scheidig, Walther *Crafts of the Weimar Bauhaus* London 1967

Tilbrook, Adrian J. *The Designs of Archibald Knox for Liberty & Co.* London 1976

雕塑

Dinglestedt, K. *Le Modern Style dans les arts appliqués* Paris 1959

Duncan, Alastair *Art Nouveau Sculpture* London 1978

—*Art Nouveau and Art Deco Lighting* London/New York 1978

期刊

L'Art Décoratif 1898–1908

Art et Décoration 1899–1904

Art et Industrie (Nancy) 1900–1909

Brush and Pencil 1900–1903

Bulletin des Sociétés artistiques de l'est 1900–1904

The Cabinet Maker and Art Furnisher 1900–1901

Dekorative Kunst 1898–1903

Duetsche Kunst und Dekoration 1901–1904

Die Kunst 1899–1902

Kunst und Kunsthandwerk 1900–1904

La Lorraine Artiste 1899–1903

Meubles et Décors 1966

La Revue d'art 1899–1900

Revue Lorraine Illustrée 1903–1906

The Studio 1895–1907

展览图录

L'Art de Vivre: Decorative Arts and Design in France 1789–1989 Cooper-Hewitt Museum, New York, 1989

Brunhammer, Yvonne *Art Nouveau* Rice University and Art Institute of Chicago, 1976

Champier, Victor *Les Industries d'art à l'Exposition Universelle de 1900*, Paris 1902

Champigneulle, B. *Daum, cent ans de verre and de cristal* Musée des Beaux Arts, Nancy, 1976

Charpentier, Françoise-Thérèse *Broderies et Tissus* Musée de l'Ecole de Nancy, 1980

—*Louis Hestaux, collaborateur de Gallé* Musée de l'Ecole de Nancy, 1982

Drexler, Arthur and Daniel, Greta *Introduction to Twentieth Century Design* The Museum of Modern Art, New York, 1959

Exposition de l'Alliance Provinciale des Industries d'Art, L'Ecole de Nancy Union Centrale des Arts Décoratifs, Paris, 1903

L'Exposition d'art décoratif, Ecole de Nancy Salle Poirel, Nancy, 1904

Exposition d'art décoratif de l'Ecole de Nancy Société des Amis des arts de Strasbourg, Palais de Rohan, 1908

Exposition d'art décoratif et industriel lorrain, Salle Poirel, Nancy, 1894

L'Exposition de l'Ecole de Nancy, Armand Guermet, Paris 1903

Japonisme: Japanese Influence on French Art 1854–1910, Cleveland Musuem of Art/Rutgers University Art Gallery/Walters Art Gallery, Cleveland, New Brunswick, Baltimore 1975

Lambert, Théodore *Meubles de style moderne Exposition Universelle de 1900* Charles Schmid, n.d.

Liberty's 1875–1975 Victoria and Albert Musuem, London, 1975

Wittamer, Yolande Oostens *La Belle Epoque – Belgian Posters* (Wittamer-DeCamps collection) New York, 1971

插图来源

Amsterdam: Rijksmuseum Vincent van Gogh 5; Photo Annan, Glasgow 29; Photo Barsoti, Florence 28; Georges de Bartha, Geneva 78; Photo Tim Benton 15; Berlin: Kunstgewerbemuseum, Staatliche Museen Preussischer Kulturbesitz 170; Borsje Collection, Paris 35, 37; Christie's, London 117, 127; Christie's, New York 16, 51, 53, 150, 151, 160; Corning, New York: The Rockwell Museum 84; Darmstadt: Hessisches Landesmuseum Darmstadt 115, 120; Photo Fischer Fine Art Ltd, London 49; Glasgow: Hunterian Art Gallery, University of Glasgow, Mackintosh Collection 17; Hamburg: Museum für Kunst und Gewerbe 64; Photo Benno Keysselitz 46, 77; London: By courtesy of the Board of Trustees of the Victoria & Albert Musuem 1, 6, 103, 128; Macklowe Gallery, New York 34, 159, 168; Photo Félix Marcilhac 50; Photo Mas 30; Moscow: Pushkin Musuem 54; Munich: Staatsmuseum 14; Nancy: Musée de l'Ecole de Nancy 76; New York: Courtesy of Cooper-Hewitt, National Museum of Design, Smithsonian Institution 52; Metropolitan Museum of Art 82, (Gift of Sarah E. Hanley, 1946) 131; Photo Richard Nickel 31; Norwest Corporation, Minneapolis 70, 101, 106, 133, 141, 147, 148, (Rorstrand Company Collection Museum) 99; Oslo: Nasjonalgalleriet 57; Otterlo: Rijksmuseum Kröller-Müller 56; Paris: Musée des Arts Décoratifs 22, 32, 113, 114, (photo Jean-Loup Charmet) 12, (photo L. Sully-Jaulmes) 87, 91; Pforzheim: Schmuckmuseum 124; Philadelphia Museum of Art, Gift of Mr and Mrs Thomas E. Shipley, Jr 110; Private Collection 75, 108, 109, 111, 112, 116, 122, 125, 126, 129, 130, 144, 146, 153, 162, 163, 169; Minna Rosenblatt, New York 79; Collection Joel Schur 68; Collection of Benedict Silverman 136, 137, 143; Sotheby's, London 155; Sotheby's, New York 80, 83, 102, 105, 167; Photo Dr Franz Stoedtner 26; Photo Studio Minders 25; Vienna: Österreichische Galerie 59; Virginia Museum of Arts 44, 45, 47, 48, 55, 72, 123, 149, 154; Walthamstow: William Morris Gallery 2; Washington, D.C.: Courtesy of the Freer Gallery of Art, Smithsonian Institution, 7, (National Gallery of Art, Rosenwald Collection) 3; Collection of Mr and Mrs Harvey Weinstein 85; Winter Park, Florida: The Morse Gallery of Art 107; Zürich: Photo Kunstgewerbemuseum 18.

索引

此处页码系原文页码，斜体代表插图所在页码。——译者注

查尔斯·麦金托什，扶手椅，染色木料和彩色玻璃，约1904年。（见图42）

路易·梅杰列，兰花台书桌，1903年。（见图35）

阿方斯·穆夏，《摩纳哥蒙特卡洛》，海报，1897年。（见图63）

伊曼纽尔·奥拉西，《现代艺术之家》，约1900—1902年。（见图67）

古斯塔夫·克林姆特，《朱迪斯与荷罗孚尼》，布面油画，1901年。（见图59）

艾米尔·盖勒，海洋植物标本，装饰玻璃花瓶，约1902年。（见图78）

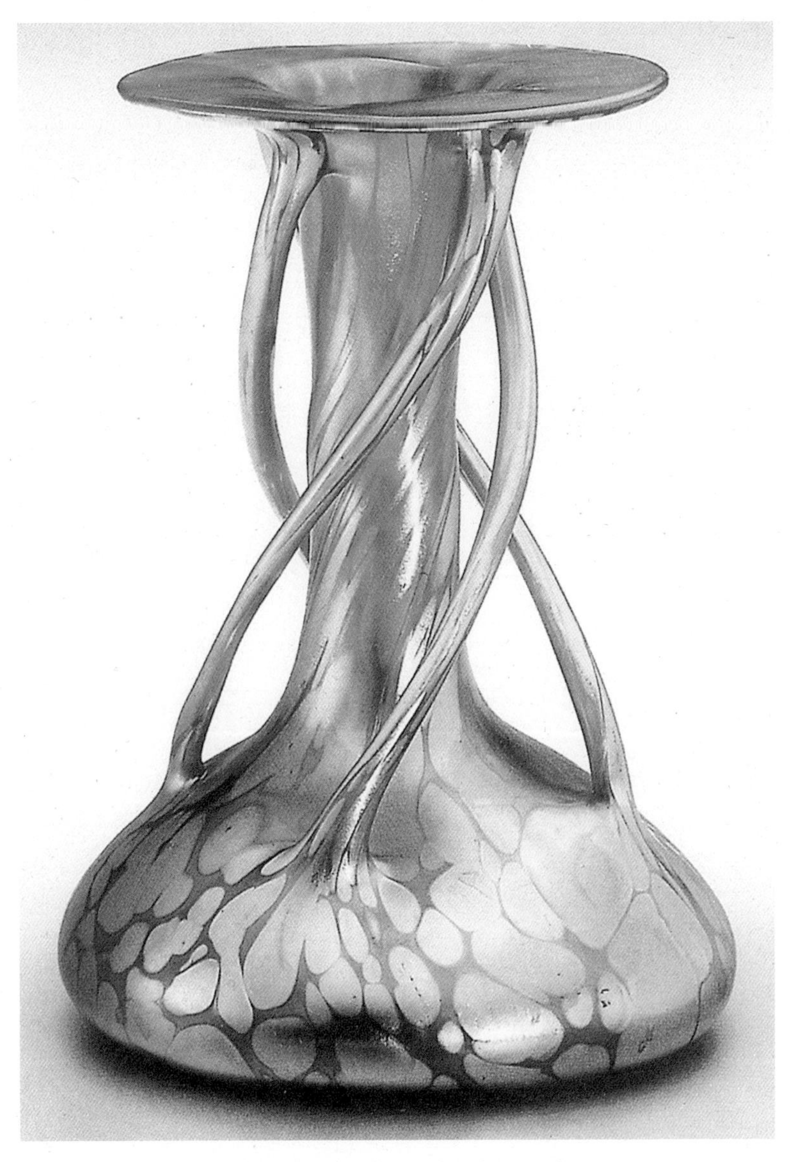

约翰·罗伊茨·维特威，带茎干的花瓶，约1900年。（见图81）

路易斯·蒂凡尼，孔雀花瓶，约1893—1896年。（见图82）

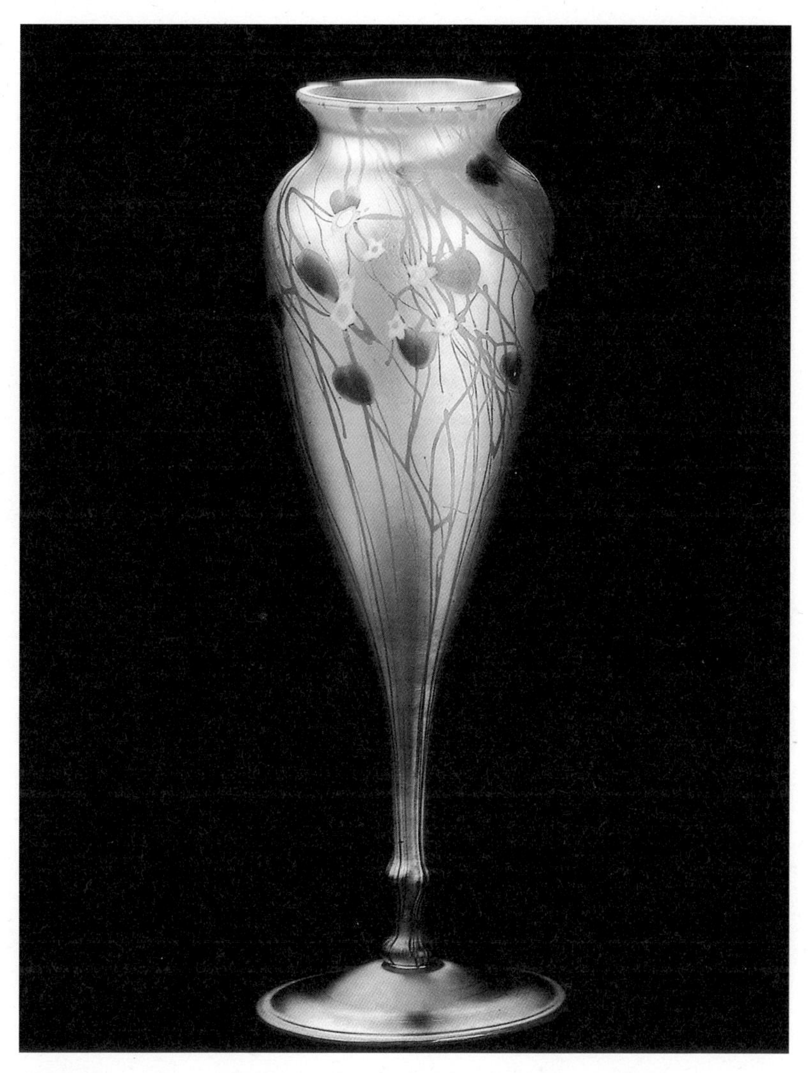

弗里德里克·卡德，为斯托本玻璃工坊制作的金花瓶，约1903年。（见图84）

鲁斯·埃里克森，为格鲁拜陶艺厂烧造的陶瓷花瓶，1905年。（见图107）

弗里茨·阿尔伯特为盖茨陶艺厂烧制的“泰可”陶瓷花瓶，1904—1905年。（见图111）

洛克伍德陶艺厂，陶瓷花瓶，白山谷喜太郎绘，1899年。（见图112）

雷尼·莱丽克，挂坠，珐琅金、玉髓和巴洛克珍珠，约1898—1899年。（见图114）

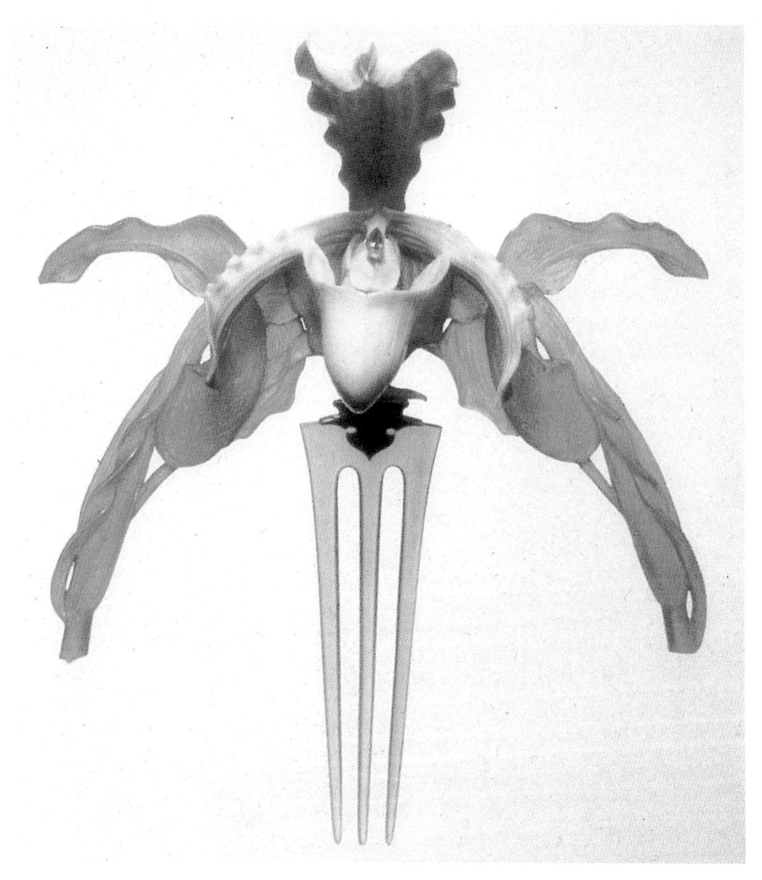

雷尼·莱丽克，兰花头饰，黄金、象牙、犀角、黄玉，约1903年。（见图118）

莫里斯·布法尔，《沉迷》与《梦境》，一对枝状大烛台，纯银，1900年。（见图159）

查尔斯·卢谢和拉马尔，陶瓷花瓶镶镀金青铜珐琅装饰，1898年。（见图160）